SIONI WINWNS

Llyfrau Llafar Gwlad

Sioni Winwns

Gwyn Griffiths

Llyfrau Llafar Gwlad

Golygydd Llyfrau Llafar Gwlad:
Esyllt Nest Roberts

Argraffiad cyntaf: Awst 2002

Rhif Llyfr Safonol Rhyngwladol:
0-86381-776-9

Llun clawr: Ralph Hedley

Cynllun clawr: Sian Parri

Argraffwyd a chyhoeddwyd gan Wasg Carreg Gwalch,
12 Iard yr Orsaf, Llanrwst, Dyffryn Conwy, LL26 0EH.
01492 642031 01492 641502
llyfrau@carreg-gwalch.co.uk
Lle ar y we: www.carreg-gwalch.co.uk

Cynnwys

Rhagymadrodd 7

Sioni Winwns 11

Y Sioni ym Mhrydain 28

Trychinebau ac anawsterau 108

Atodiad 125

Llyfryddiaeth 135

Yr Awdur 136

I gofio'r olaf o'r Sionis Cymraeg:

Marie Le Goff
(bu farw yn 1991)

Michel Olivier
(bu farw yn 2000)

Gair o ddiolch

Y mae diolch yn ddyledus i lu mawr o gyrff ac unigolion fod y gyfrol hon yn gweld golau dydd. Diolch i'r diweddar John Owen Huws am ei anogaeth ac am fy argyhoeddi y buasai'r gyfrol o ddiddordeb i ddarllenwyr Cymraeg.

Mae arnaf ddyled i amryw a'm gorfododd i barhau gydag ymchwil a ddechreuwyd yn niwedd y 1970au a sicrhau na chefais lonydd gan y pwnc difyr hwn. Un ohonynt yw Brian Davies, Curadur Amgueddfa Pontypridd, a gytunodd yn frawychus o sydyn y buasai arddangosfa am y Sionis – eu bywyd a'u gwaith – o ddiddordeb i bobl Cymru.

Michel Morvan, cyn-faer Rosko, a ddywedodd wrthyf bod angen amgueddfa iawn i goffáu gwaith a chyfraniad y Sionis, a rhoi gorchymyn imi – fwy neu lai – i fwrw ymlaen â'r gwaith o'i sefydlu.

Diolch i Patricia Chapalain, perchennog y *Brittany Hotel*, cyn-ddirprwy faer Rosko a merch i hen Sioni Winwns am gefnogaeth frwd a phrocio parhaus i sicrhau cael y maen i'r wal.

Diolch hefyd i Madeleine Le Guerch am gefnogaeth, gwybodaeth a chyfeillgarwch ac am gyflwyno i mi gysylltiadau amhrisiadwy wrth imi geisio cofnodi hanes rhyfedd a lliwgar y Sioni Winwns.

Daeth Julian Brown â darluniau ei hen dad-cu, Ralph Hedley, i'm sylw. Diolch iddo yntau.

Ac wrth gwrs, rhaid diolch i'r Sionis eu hunain – pob un ohonyn nhw. Jean-Marie Cueff, Olivier Bertevas, Claude Corre a Claude Tanguy am eu hamynedd a'u parodrwydd i rannu profiadau a gwybodaeth gyda mi – ysywaeth maent oll wedi mynd erbyn hyn. Diolch hefyd i'r teulu Prigent am flynyddoedd o gyfeillgarwch . . . ni allaf fyth enwi pawb.

Ac yn olaf, diolch i Myrddin ap Dafydd o Wasg Carreg Gwalch am ei frwdfrydedd ac am sicrhau cyfrol ddeniadol a hardd yn nhraddodiad ei wasg ifanc, fentrus.

Rhagymadrodd

Pump oed oedd Ambrose Bebb, yn ôl yr hyn a ysgrifennodd yn *Pererindodau*, pan welodd Sioni Winwns am y tro cyntaf. Roedd ar ei ffordd i Ffair-rhos gyda'i rieni, y ffair gyflogi a gynhelid ym Mhontrhydfendigaid, nid y pentre cyfagos a fagodd gynifer o feirdd a llenorion. ' . . . cydnerth o wŷr llydain, mewn llodrau gleision, ac esgidiau pren – clocs,' meddai. 'Yn llaw pob un yr oedd clamp o bren wedi ei dorri o'r berth, ac ar ei ysgwydd resi gloywon o wynwyn Llydaw.'

Os oedd Bebb yn gywir mai pump oed oedd e, yna 1899 oedd y flwyddyn honno. Lluniodd ddisgrifiad annwyl o'r Sionis ym mhennod gyntaf *Pererindodau*: 'Sioni Winwns – yr unig ymwelwyr sy'n dyfod i Gymru yn weddus, yn ostyngedig, yn fonheddig . . . yr unig ymwelwyr gwir aristocrataidd a ymwêl â ni mewn blwyddyn.'

Yn ail bennod y gyfrol sonia am ddigwyddiad flynyddoedd yn ddiweddarach. Roedd yn cael ei gario mewn cert tua Rosko gan Sioni Winwns – un a arferai fasnachu'n Llanelli – a'r ddau ohonyn nhw'n sgwrsio'n Gymraeg. Roedd y Sioni hwnnw'n sôn am gerdded drwy wynt a glaw, am fyw mewn dillad glwybion o fore tan nos, am Gymry a gredai mai cardotwyr oedd y gwerthwyr winwns.

Treiddiodd y Sionis i bob rhan o Gymru, Lloegr a'r Alban ac erbyn y cyfnod wedi'r Ail Ryfel Byd roedd iddynt groeso ble bynnag yr aent. Ond rwyf am fynnu mai ymysg y Cymry y caent y croeso mwyaf twymgalon. Ys gwn i a oes tref yng Nghymru lle na fu Sioni yn ymwelydd â hi ar ryw adeg, a mwy na hynny yn byw ac yn gweithio ynddi? Byddaf o hyd yn darganfod gwybodaeth am Sioni yn gwerthu ac yn rhaffu ei winwns mewn rhyw le annisgwyl. Nid yw Pontypridd ar unrhyw restr o ganolfannau Sionis a welais erioed. Serch hynny, dywedodd hen drigolion y dref wrthyf eu bod yn cofio'r Sionis yn byw ac yn gweithio yn y stablau y tu cefn i dafarn y *White Hart*. Roeddent hefyd yn eu cofio'n gweithio dan un o fwâu'r rheilffordd ger gorsaf Pontypridd ac yn byw yno hefyd, mae'n bur debyg. Dywedodd un wraig ganol oed y bu ganddi stondin lysiau a ffrwythau ym marchnad Pontypridd ac y bu Sioni

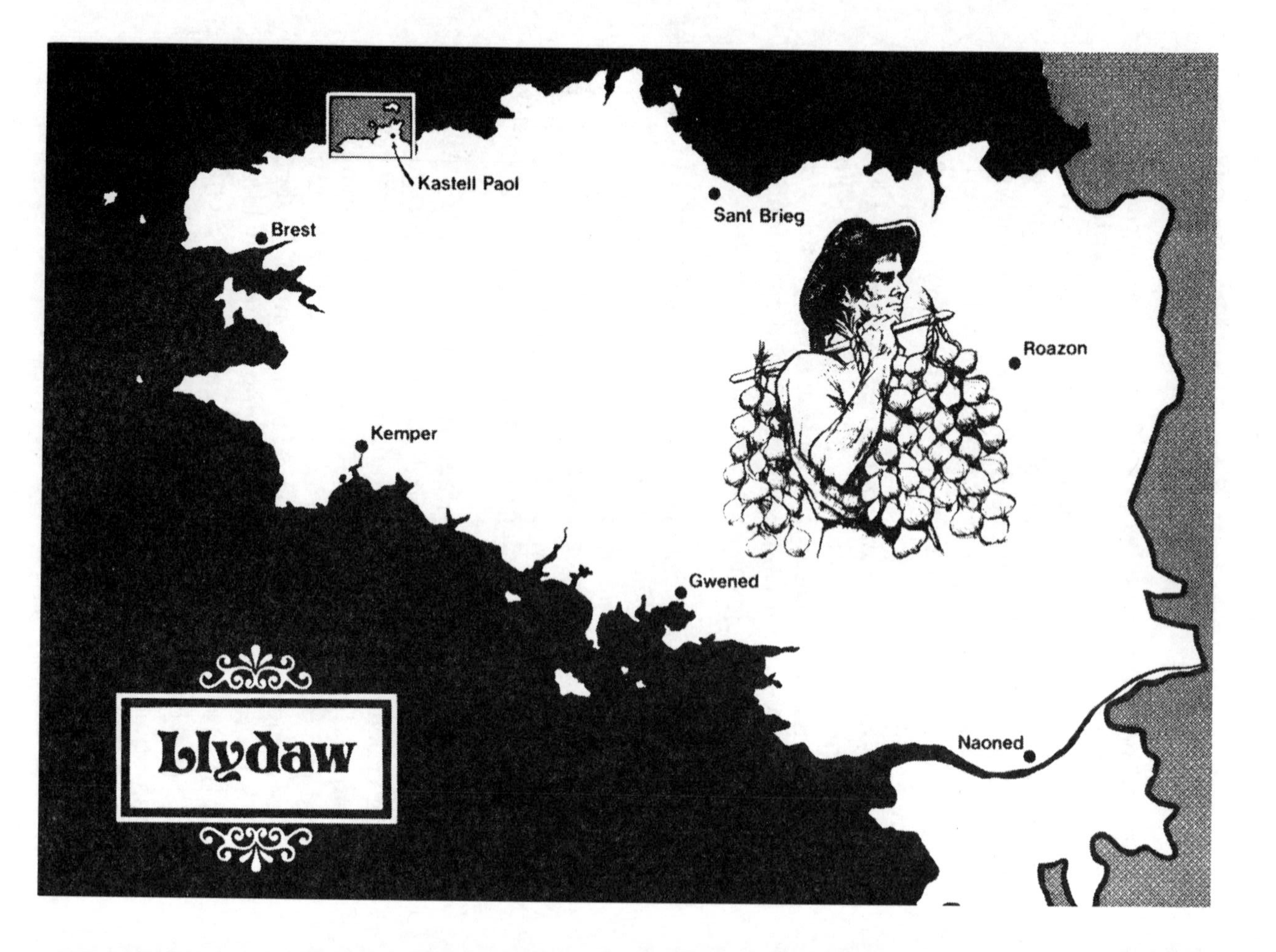
Llydaw
Kastell Paol
Brest
Sant Brieg
Roazon
Kemper
Gwened
Naoned

yn defnyddio un o'i stordai yn y Trallwng ym Mhontypridd.

Mae'n hysbys y bu llawer o Sionis yng Nghaerdydd ond fe synnais glywed bod gan un ganolfan yn Nhongwynlais a bod un arall a chanddo gut ym mhen ucha'r Rhondda Fawr.

Y mae'n wir fod canran uchel ohonyn nhw'n dod i Gymru – o gofio maint a phoblogaeth y wlad. Mae gennyf reswm arall dros gredu bod croeso'r Cymry i'w cyd-Frythoniaid yn arbennig – parodrwydd ein beirdd i'w clodfori:

. . . ef yw'r unig fargeiniwr ar daith
A edrydd degwch ei lwyth yn eich iaith, –
A chofiwch – perthynas i chwi yw'r gŵr, –
Mae'r gwaed o hyd yn dewach na'r dŵr.

Felly y canodd T. Eirug Davies. A dyma ddywedodd Dic Jones am y Sioni:

Pwy sydd o hyd yn gwisgo tam,
A'i iaith yn od a'i drwyn yn gam,
A phwy sy'n galw 'Ti' ar Mam?

Cerdd i Sioni Winwns, rwyf bron yn siŵr, yw *Yr Alltud* o eiddo Eifion Wyn. Cerdd i Lydawr pymtheg oed a gladdwyd ym mynwent y dref – Porthmadog.

Canodd Isfoel gerdd yn llawenhau fod Sioni wedi dychwelyd yn ddiogel wedi'r rhyfel ac fe'i molwyd yn yr englyn hwn gan Evan Jenkins, Ffair-rhos.

Trafaeliwr taer a folaf – a'i winwns
Heb weniaith a hoffaf,
Doed heibio eto ataf
Ei gefn o hyd ysgafnhaf.

Ac meddai Dyfed Evans:

Pan ddaw yn wyneb-lawen – a'i aur dorch
Mor dwt ar ei gambren
Ei ergyd i gloi bargen
Yw hud ei Lydaweg hen.

Tystiai Sionis y bûm yn sgwrsio â nhw i'r croeso a gaent yn yr Alban a Lloegr ond ni wn am feirdd a ganodd iddynt, heblaw beirdd Cymru.

Gweodd Alun Lewis, y bardd a'r llenor Eingl-Gymreig o Aberdâr, Sioni i un o'i straeon ac mae'r portread cryno hwn gan Dylan Thomas yn ddi-guro:

A Shoni-Onion Breton man, with a beret and a necklace of onions, bicycled down the road and stopped at the door.
'Quelle un grand matin, monsieur' I said.
'There's French, boy bach!' he said.

Roedd winwns Sioni yn uwch eu parch ym Mhrydain nag ym Mharis ac yn eu bro eu hunain, ardal Rosko, nid oedd fawr o barch i'r Sionis 'chwaith. Ond wrth i'w hen fasnach ddirwyn i ben, dechreuwyd rhoi iddynt y clod a haeddent am eu cyfraniad i economi ardal dlawd.

Ers diwedd y saithdegau a dechrau'r wythdegau ymddangosodd ambell lyfr yn cynnwys braslun o'u hanes. Yn 1995 agorwyd amgueddfa fechan y Sionis yn Rosko. Yn eironig, o Gymru y daeth yr ysgogiad ac yng Nghymru y lluniwyd y gwaith sy'n ganolog iddi, ond nid yw hyn yn syndod o gofio'r parch oedd iddyn nhw ymysg y Cymry.

'Cymdeithas israddol oedd y Sionis yn yr ardaloedd hyn,' meddai Sebastien Prigent, hen Sioni a arferai fynd i Lanelli, wrthyf. 'A wyddost ti pam yr ydyn ni bob amser mor barod i dy helpu di pan fyddi di eisiau gwybod rhywbeth? Rwyt ti wedi'n parchu ni.'

Bellach, a'r Sionis bron marw o'r tir, maen nhw'n cael eu cofio yn eu bro eu hunain, ond ni fu'r Cymry erioed yn ddi-hid ohonynt. Wedi'r cwbl, oes teyrnged uwch na geirda bardd? Ac yng ngeiriau un hen Sioni arall, Pierre Guivarch, 'Cymry ydyn ni i gyd – neu Frythoniaid o leia.'

Gwyn Griffiths

Sioni Winwns

Ers cant a deg a thrigain o flynyddoedd bu dynion yn mynd o ddrws i ddrws drwy Gymru, Lloegr a'r Alban gan werthu rhaffau o winwns cochion Llydaw. O Fôn i Fynwy, o John O'Groats i Lands End, o Shetland i Ynysoedd y Sianel, roedd pobl yn adnabod Sioni Winwns. Ynys Manaw, Ynys Wyth, ynysoedd gorllewinol yr Alban – pob man ond Iwerddon, lle dywedir fod tlodi'r bedwaredd ganrif ar bymtheg yn ormod hyd yn oed i gynnal y Sionis.

'Sioni Winwns' i bobl y de, 'Sioni Nionod' mewn mannau o'r gogledd, 'Shoni Onions' i'r Cymry di-Gymraeg yn y de, 'Johnny Onions' i'r Saeson, 'Ingan Johnnie' i'r Albanwyr. Aethant â'r enw yn ôl gyda nhw i Lydaw – 'Ar Johniged' yn Llydaweg a 'Johnnies de Roscoff' yn Ffrangeg. Gan drigolion cyffiniau Abertawe a Phontarddulais clywais yr enw 'Mari Winwns'. Bu hyn yn achos penbleth i mi gan y bu yn Llanelli 'Fari Winwns' – Marie Le Goff, gwraig annwyl y deuthum i'w hadnabod yn dda ym mlynyddoedd olaf ei hoes. Deellais wedyn mai 'Mari Winwns' oedd yr enw a ddefnyddid yn y cylch arbennig hwn am Shoni, i ba rywogaeth bynnag y perthynai.

Does dim sicrwydd o ble y tarddodd yr enw 'Shoni' neu 'Johnny'. Yr eglurhad gorau, greda i, yw poblogrwydd yr enw Jean-Yves yn eu plith. Mewn gwlad o seintiau mae Yves – neu Erwan yn Llydaweg – yn uwch ei barch na'r un. Os digwydd i chi daro ar Ffrancwr a chanfod mai Yves yw ei enw, gellwch fentro ei fod yn Llydawr, neu o dras Llydewig. Mae gan y Saeson ddywediad sarhaus, 'Johnny Foreigner'. Awgrymodd rhywun mai dyna darddiad yr enw. Gwell gen i'r eglurhad cyntaf. Buasai hwnnw'n ei gwneud yn haws i egluro pam mae pobl yn ardal Abertawe yn cyfeirio ato fel 'Mari Winwns' – mae enw fel Jean-Marie mor gyffredin â Jean-Yves.

Beth bynnag am yr enw, fel y daw'r wennol a'r gwcw i addo gwanwyn a haf, roedd dyfodiad Sioni ddiwedd mis Awst a dechrau mis Medi yn arwydd fod y gaeaf ar ei ffordd. Nid oedd y croeso fymryn llai am mai dyfod o flaen y misoedd du a wnâi. Ddim yng nghyfnod fy mhlentyndod i, o leia. Ond fe fu cyfnod pan oedd cynifer ohonyn nhw'n crwydro gyda'r *vaz* ar yr ysgwydd

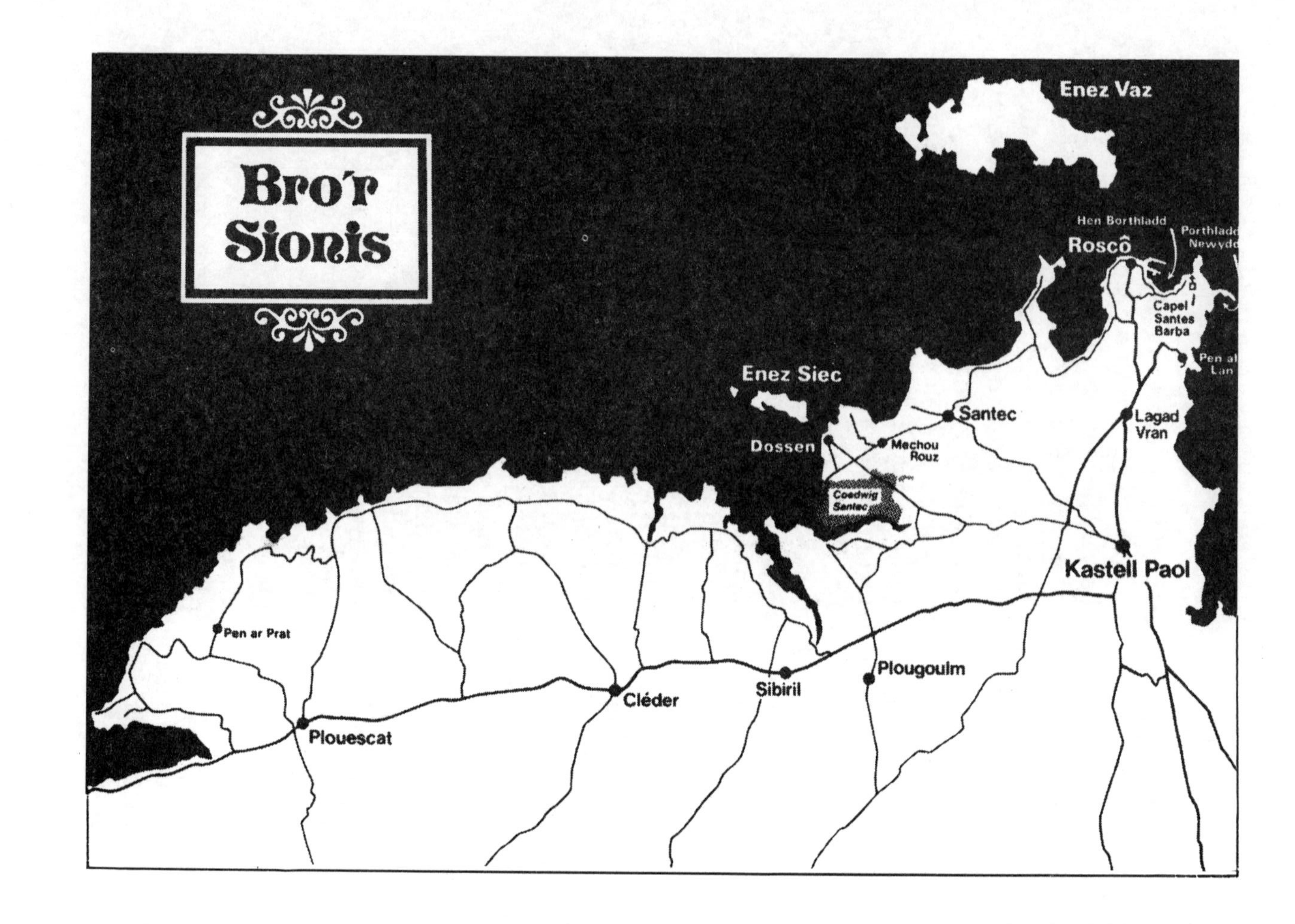

Bro'r Sionis
Enez Vaz
Hen Borthladd
Roscô
Capel Santes Barba
Enez Siec
Santec
Lagad Vran
Dossen
Mechou Rouz
Coedwig Santec
Kastell Paol
Pen ar Prat
Plougoulm
Cléder
Sibiril
Plouescat

neu gyda'r beic llwythog fel nad oedd y croeso yn gynnes o gwbl. Roedden nhw'n dipyn o bla mewn gwlad a thref. Ddiwedd dauddegau a dechrau tridegau'r ganrif ddiwethaf dywedir bod 1,500 ohonyn nhw'n croesi i Gymru, i Loegr ac i'r Alban bob blwyddyn. Dyna'r rhif swyddogol, er 'mod i'n amau y gallai fod yn fwy.

Heddiw, tua ugain sy'n parhau i gynnal yr hen draddodiad. Jean Le Roux yn ardal Highbury yn Llundain, Guillaume Seité dros ei bedwar ugain ond yn parhau i daro o dro i dro i Fryste, François Keriven yn mynd i Leeds ac yn parhau i wneud y tymor llawn o ddiwedd mis Awst hyd at ddiwedd mis Chwefror, mae un arall yn mynd i Southampton a Pol Caroff a'i wraig sy'n parhau i fynd yn ysbeidiol i Poole. Unigolion i gyd bellach a dynion sydd y tu hwnt i oed ymddeol ac sy'n methu rhoi'r gorau i arfer oes. Ac eithrio un – un 'cwmni' sy'n parhau i ddod i Gaerdydd. Cwmni ifanc dan arweiniad Patrick Mevel a'u cartref am hanner blwyddyn mewn hen siop wrth gefn Parc Ninian. Oddi yno maen nhw'n teithio i bob rhan o Gymru a thros Glawdd Offa i werthu winwns blasus ardal Rosko a Bro Leon, sef yr hen enw am ogledd Pen ar Bed (Finistère).

Y dechreuad

Yr enwocaf a'r cyntaf o'r Shonis oedd gŵr o Santeg (neu Santec) o'r enw Henri Olivier. Pentre ar yr arfordir tua phum milltir i'r gorllewin o Rosko yw Santeg ac ar un adeg roedd yn rhan o gymuned Rosko. Dyna pam mae trigolion Rosko, erbyn hyn, mor awyddus i hawlio Olivier yn un ohonyn nhw. Fe'i ganed yn 1808 a chollodd ei dad pan oedd yn un ar bymtheg mlwydd oed. Dair blynedd yn ddiweddarach bu farw ei fam gan adael Henri, ei ddau frawd a'i chwaer i ofalu am y fferm.

Tyddynnwr a morwr oedd Olivier a'r awydd am antur yn ei waed ond roedd tlodi yn gymaint o ysgogiad â'r awydd hwnnw. Cyn iddo gyrraedd ei ugain oed roedd wedi teithio hyd a lled Llydaw gyda'i gert yn gwerthu'r llysiau a dyfai ar y fferm.

Teithiodd i Baris ac ar sail un ymweliad llwyddodd i ddenu nifer o gwsmeriaid, cwsmeriaid y bu'n anfon llysiau'n gyson iddynt am flynyddoedd wedyn. Ddegawdau'n ddiweddarach ysgrifennodd Valentine Vattier d'Ambroyse: 'Paris yw'r ganolfan fawr sy'n derbyn yr allforion hyn. Mae nifer o'r trigolion wedi bod yn ymwneud yn uniongyrchol gyda thai bwyta mawr Paris am amser hir. Mae'r fasnach ar gynnydd drwy'r amser.'

Meddai wedyn: 'Yn Awst a Medi gwelir cynifer ag ugain a phump ar hugain o longau rhwng 60 a 120 tunnell yn ddyddiol ym mhorthladd Rosko yn llwytho llysiau a dadlwytho glo.' Tebyg mai llongau'r Sionis oedd rhai o'r rheiny.

Roedd antur a gweledigaeth Henri Olivier wedi talu ar ei ganfed ond yn 1828 y cymerodd y cam mwyaf anturus o'r cwbl. Gyda phedwar o'i gyfeillion llogodd gwch a hwylio o borthladd Rosko i Plymouth. Roedd y cwch yn llawn i'r ymylon o winwns coch eu bro. O fewn wythnos roedd y pump wedi dychwelyd gyda'i pocedi'n llawn sofrenni. Roedd Henri Olivier a'i ffrindiau wedi taro ar farchnad oedd yn mynd i roi bywyd a gobaith newydd i ardal gyfan ac ail-greu perthynas a chysylltiadau masnachol a fyddai'n parhau hyd ein dyddiau ni – ac ysbrydoliaeth a fydd yn parhau am lawer hwy.

Roedd wedi ailddechrau'r hen arfer o werthu winwns wedi eu clymu'n rhaffau o ddrws i ddrws, rhywbeth a wnâi tyddynwyr ardal Rosko yn yr unfed a'r ail ganrif ar bymtheg. Roedd wedi adfer cysylltiadau masnachol Rosko â Phrydain, cwlwm a dynhawyd ymhellach gan Alexis Gourvennec, arweinydd ffermwyr Llydaw a sylfaenydd cwmni *Brittany Ferries* a hwyliodd am y tro cyntaf o Rosko i Plymouth yn 1972 ac a ehangodd i fod yn fferi i gludo teithwyr ym mis Ionawr 1973. Roedd tair lori winwns ar daith hanesyddol gyntaf y Kerisnel, llong gyntaf *Brittany Ferries*.

Erbyn 1860 roedd 200 o werthwyr winwns yn dod drosodd i Brydain, 700 yn 1887, 1273 yn 1902, 1152 yn 1905, 1200 yn 1907, 1300 yn 1909 ac 1500 yn 1931.

Dim ond ar yr un daith honno yr aeth Henri Olivier i werthu winwns. Dywedir iddo briodi gweddw gyfoethog ac awgrymwyd nad oedd angen iddo fentro dim ar ôl hynny. Cawsant dri o blant a bu farw yn 1865.

Gwlad y Sionis

Darn o wlad ffrwythlon a thoreithiog o gwmpas Rosko, Kastell Paol (Saint-Pol-de-Leon) yng ngogledd-orllewin Llydaw ac yn ymestyn draw ar hyd yr arfordir i gyffiniau Plouescat yw ardal Sioni Winwns. Dyma'r fro lle'r arferid tyfu'r winwns ac oddi yma y deuai'r Sionis. Eu prifddinas yw hen dre Rosko; tref ac iddi hanes bywiog a lliwgar, enwog am fasnachu pob math o nwyddau.

Y tu hwnt i'r hen borthladd mae Enez Vaz a thorch o fân ynysoedd a chreigiau yn gysgod rhag gwynt y gogledd, tra bod llif dyfroedd cynnes ceufor Mecsico yn tyneru hinsawdd y fro. Anaml, meddir, y bydd yr hinsawdd yn plymio o dan chwe gradd selsiws a pheth anghyffredin yw llwydrew. Pan fydd yn glawio, ceir glaw mân sy'n treiddio'n ddwfn i'r tir tywodlyd.

Canmolwyd y tir gan lenorion a theithwyr ers canrifoedd. Yn 1794 ysgrifennodd Jacques Cambry, gŵr o Lorient yn ne Llydaw, yn y gyfrol *Voyage dans le Finistère*: 'Mae trigolion Rosko yn trin y tir mwyaf toreithiog a ffrwythlon. Cynhyrchir swm syfrdanol o bob math o lysiau o'r mathau a dyfir mewn caeau agored: winwns, blodfresych, bresych, meirch ysgall, maip . . . llysiau i ddiwallu Pen ar Bed benbaladr.'

Yn 1847 roedd Gustave Flaubert ar daith yn Llydaw gyda chyfaill. 'Dyma gornel fwyaf toreithiog Llydaw,' meddai. 'Mae gŵr Rosko yn ffermwr ffodus, ei faes yw ei ffortiwn.'

Yn yr un modd fe ysgrifennodd Émile Moraud yn 1932 fod Rosko 'yn lle nodedig o ffrwythlon ac yn meddu ar bopeth angenrheidiol i dyfu llysiau cynnar.'

Crwydrwch o gwmpas Llydaw ac nid oes unman lle gwelir cymaint o ôl llaw'r amaethwr. Caeau di-gloddiau, a phridd tywodlyd yn drwm dan gnydau, bron hyd ymyl y ffordd fawr. Y gwrtaith yw'r gwymon sy'n cael ei gywain o'r traethau a'i daenu dros y tir cyn ei aredig i'r pridd. Yr ïodin yn y gwymon sy'n rhoi i winwns Rosko eu lliw cochlyd unigryw. Byddant yn cadw hadau'r winwns am flwyddyn – dim hwy na hynny – cyn eu rhoi yn y tir. Heuir yr hadau ym mis Medi ac yna eu trawsblannu ym mis Chwefror. Cynaeefir y cnwd yng Ngorffennaf ac Awst.

'Chi'n gallu codi carots yma wyth mis o'r flwyddyn,' meddai'r diweddar Michael Olivier a Mechou Rouz (Mecheroux), ger

Santec, wrth ganmol yr hinsawdd a ffrwythlondeb y tir. Ffarmwr oedd Michel ond pan oedd yn iau bu gyda'i dad yn Sioni Winwns yng Nghastellnewydd a'i Gymraeg yn rhugl hyd y diwedd. 'Medrwch chi fyw ar ddeg erw o dir fan hyn. Mae eisie tua 45 erw i gadw teulu yn unrhyw le arall yn Llydaw.'

'Y fro yma,' meddai'r ffermwr ifanc Gilbert Guillou, cadeirydd cymdeithas tyfwyr winwns y *Société d'Iniative de Coopération Agricole* (SICA) 'yw'r lle gorau yn Ffrainc – hwyrach yn Ewrop – i ffermwr ifanc heb lawer o gyfalaf i ddechrau ffermio. Hwyrach yr unig le y medrai ffermwr ddechrau o ddim.'

Rosko – tre'r Sionis

Mae'r darlun heddiw yn un o lewyrch a chyfoeth. Hen adeiladau ardderchog, gwestai a thai bwyta sy'n tystio i gyfoeth heddiw ac i orffennol gwych. Ond nid felly y bu bob amser – onide ni fuasai angen i Sioni Winwns grafu byw drwy aeafau digysur mewn stordai oer a hen siopau llaith, condemniedig.

Gallwn olrhain cysylltiad Cymru â'r fro hon yn ôl i Oes y Seintiau. Peilyn – Pol Aurielen – roes ei enw i Kastell Paol, ychydig filltiroedd i'r de o Rosko ar lan yr aber sy'n arwain tua Montroulez (Morlaix).

Mae Rosko yn dref gyda thraddodiad hir o fasnach – masnach mewn pob math o nwyddau gyda phob math o wledydd. Bu i'w hanes gyfnodau cythryblus. Sefydlwyd y dref ar ochr orllewinol y penrhyn i gyfeiriad Santeg. Bu'r Normaniaid yn boen yn y nawfed a'r ddegfed ganrif, gan ymosod ar yr hyn a elwir nawr yn Roskogoz (hen Rosko). Dinistriwyd y dref a lladdwyd llawer o'r trigolion gan y Saeson mewn ymosodiadau yn 1347 ac 1387. Doedd y Llydawyr ddim yn hwyrfrydig i daro'n ôl. Gwnaed hynny yn 1403 ac 1404 pan ddinistriodd Jean du Penhouet a Guillaume de Chastel lynges Lloegr a mynd rhagddynt i ysbeilio Plymouth a Dartmouth. Yn y bymthegfed ganrif a'r ail ganrif a'r bymtheg roedd llynges Llydaw yn rymusach na llyngesau Lloegr a Ffrainc.

Collodd Llydaw ei hannibyniaeth wleidyddol yn 1532 ond nid oedd hynny yn golygu llawer o safbwynt masnach, ac yn arbennig masnach dramor.

Un o allforion cynnar Rosko oedd halen môr a gesglid yn ardal

Le Croisic yn ne Llydaw. Allforion eraill oedd lliain, cynfas, cotwm a gwlân, a physgod wedi'u halltu. Roedd pobl Cernyw, Dyfnaint a Dorset yn gyfarwydd â masnachwyr o Lydaw yn gwerthu eu nwyddau yn eu porthladdoedd a'u marchnadoedd. Roedd masnach rhwng Rosko a Latvia, Estonia, Gwlad Pŵyl, Sbaen, Portiwgal a Gwlad y Basg. Roedd cymdeithas gosmopolitan gyda chwmnïau o bob gwlad ac asiantwyr wedi ymsefydlu yma.

Dinistriwyd diwydiannau defnyddiau Llydaw pan gododd Louis XIV drethi uchel ar fewnforion o Brydain. Trawodd Prydain yn ôl drwy drethu mewnforion o Ffrainc. Llydaw a ddioddefodd fwyaf a dinistriwyd ei diwydiannau gwneud defnydd dilladau. Erbyn i lywodraeth Ffrainc sylweddoli eu camgymeriad yn 1713, roedd yn rhy hwyr, ond troi i farchnata a smyglo gwinoedd a brandi wnaeth gwŷr busnes Rosko.

Parhaodd ffyniant Rosko tan 1792 a dyfodiad y Chwyldro Ffrengig. Wedyn y bu'r dirywiad difrifol. Dinistriwyd llynges Ffrainc a llongau Llydaw oherwydd y rhyfela yn sgîl y Chwyldro.

Disgyn i dlodi

Ochr yn ochr â masnach porthladd Rosko oedd bywyd amaethyddol y wlad o gwmpas. Mae cofnodion y bu allforio llysiau o Lydaw i Loegr rhwng 1381 ac 1391. Yn y bymthegfed ganrif byddai pobl Rosko'n tyfu llysiau yn eu gerddi i'w gwerthu i forwyr tramor yn yr harbwr.

Yn 1622 ymsefydlodd Urdd y Capuchiniaid yn y dref. Cawsant dir gan y trigolion a nhw gychwynnodd yr arfer o dyfu winwns yn yr ardal. Gŵr a ffermiai wrth ymyl y cwfaint oedd y cyntaf i roi'r gorau i dyfu ŷd a llin a chanolbwyntio ar dyfu llysiau. Dylanwad lleol arall oedd esgob olaf Kastell Paol cyn y Chwyldro, Monseigneur de la Marché, a lysenwyd yn *Eskop ar Patates* am iddo frwydro yn erbyn y dreth a bennwyd gan y llywodraeth ar datw!

Yn y bedwaredd ganrif ar bymtheg roedd yr arfer o dyfu llysiau wedi lledu i'r fath raddau nes bod y rhan helaethaf o diroedd Bro Leon yn cael ei ddefnyddio i'r perwyl hwnnw. Canlyniad hyn oedd cynyddu prisiau'r tir. Roedd meddu darn o dir yn sicrhau incwm diddiwedd i'r perchennog. Roedd hectar o dir yn werth 6,000 ffranc (tua £14,500 ym mhrisiau heddiw) yn 1900. Gellid rhentu hectar o dir am 600 ffranc y flwyddyn (bron £2,000 yn arian heddiw). Y drefn o hyd yn yr ardal yma yw rhentu caeau 'wrth ddynion sydd wedi mynd rhy hen i weithio' fel y dywedodd Michel Olivier. Os dywed rhywun wrthych, 'mae hwn a hwn allan yn gweithio'n y caeau,' wyddoch chi ddim ble i ddod o hyd iddo gan y bydd ganddo gaeau dros y lle i gyd – y rhan fwyaf ar rent.

Hefyd, roedd poblogaeth Rosko a Kastell Paol yn anarferol o uchel. Yn 1903, er enghraifft, roedd 270 o bobl i bob cilometr sgwâr o'i gymharu, dyweder, â 163 yn Plougastel, 188 yn Pont an Abad a 122 yn Lesardrieux. Bu'r ffigyrau hyn yn ddigyfnewid o 1897 hyd 1914.

Roedd marchnatwyr yn gwaedu'r ffermwyr, yn prynu cnydau cyfain heb dalu amdanyn nhw tan ddiwedd y tymor ac yna'n torri eu haddewid os medren nhw ddadlau nad oedd ansawdd y cnwd yn ddigon da. Doedd y gwerinwr yn elwa dim o gynnyrch y tiroedd breision yr oedd yn eu trin a'r cyfoeth yn mynd i bocedi'r gwŷr busnes a'r marchnatwyr.

Roedd yma gymdeithas ranedig. Perchnogion tir cyfoethog ar y naill law a gweithwyr ofnadwy o dlawd ar y llall. Cyflogid gweithwyr cyffredin wrth y dydd. Byddent yn ymgasglu – cynifer â 400 ohonynt yr un pryd – ar y Place du Parvis yn Kastell Paol, yn y gobaith o gael gwaith. *Placenner* oedd yr enw a roddid ar ddyn fyddai'n mynd i gael ei gyflogi fel hyn. Ddiwedd y bedwaredd ganrif ar bymtheg roedd y tâl yn ardal Rosko a Kastell Paol yn 1.19 ffranc y dydd (tua £2.70 yn arian heddiw) o'i gymharu â 2.04 ffranc yng ngweddill Bro Leon a 2.57 ffranc yng ngweddill Llydaw. O gofio mor dymhorol oedd y gwaith – cyn gynted â bod yr had wedi'i hau doedd fawr i'w wneud tan y cynhaeaf – roedd y tlodi'n druenus.

Yn wyneb y math hwn o dlodi roedd digon o ddynion yn barod i fentro dros y môr a byw mewn amgylchiadau anghysurus i werthu llwythi poenus o winwns o ddrws i ddrws. Doedd dim prinder dynion i ddilyn esiampl Henri Olivier.

Amgylchiadau ffafriol ym Mhrydain

Roedd y tlodi yn sicrhau bod dynion ar gael a oedd yn barod i fynd i werthu winwns o ddrws i ddrws mewn gwlad estron. Roedd nifer o ffactorau manteisiol eraill yr ochr draw, er na fyddai Henri Olivier yn ymwybodol ohonynt ar y pryd.

I ddechrau, roedd y cynnyrch yn ardderchog, llysieuyn coch, caled, mwyn ei flas, wedi ei sychu'n ofalus yn haul cynnes ac awelon tyner Llydaw. Roedd yn cadw'n well na'r winwns a ddeuai i Brydain o wledydd eraill. Daeth honno'n ystyriaeth hollbwysig wrth i fasnach y Sionis gynyddu. Deuent ag ugain tunnell drosodd ar ddechrau'r tymor a byddai'n ddau, dri mis cyn y gwerthid y cwbl. Byddai gwraig y tŷ hithau'n disgwyl i raffaid o winwns yn ei chegin gadw heb bydru am wythnosau wedyn.

Roedd y Chwyldro Diwydiannol yn carlamu rhagddo ym Mhrydain yn gynt nag yn unlle yn Ewrop. Roedd llywodraeth Prydain yn ddifater o helbulon yr amaethwyr, yn arbennig ffermwyr bychain. Y dewis i'r rheiny yn fynych oedd llwgu neu fynd i weithio yn y trefi a'r dinasoedd, y gweithfeydd haearn a'r pyllau glo. Er i boblogaeth Prydain gynyddu o 16 miliwn i 45 miliwn rhwng 1801 ac 1901, ni chafodd yr amaethwyr elwa o'r sefyllfa. Yn yr un cyfnod gostyngodd poblogaeth amaethyddol Prydain 29 y cant. Am y tro cyntaf ni fedrai ffermwyr Prydain ddiwallu anghenion y cymdeithasau trefol a diwydiannol, ac ni chawsant gyfle i wneud 'chwaith.

Roedd ŷd rhad o'r Unol Daleithiau yn llifo i farchnadoedd Prydain ac Ewrop, a Phrydain yn mynd yn fwyfwy dibynnol ar fewnforion. Erbyn diwedd y bedwaredd ganrif ar bymtheg roedd Prydain yn mewnforio cymaint os nad mwy o'i bwyd nag unrhyw wlad yn y byd. Roedd y porthladdoedd yn dod yn fwy agored i longau tramor. Roedd rheswm da dros hyn, wrth gwrs. Gan fod Prydain ddiwydiannol yn cynhyrchu cymaint o nwyddau roedd yn rhaid eu gwerthu i wledydd eraill, ac os oedd hi am sicrhau bod y gwledydd tramor yn prynu'r nwyddau roedd yn rhaid iddi hithau ganiatáu i'r gwledydd hynny gael gwerthu eu cynnyrch ym Mhrydain. Bwydydd oedd y nwyddau yr oedd mwyaf o alw amdanynt.

Ddeng mlynedd wedi i Henri Olivier fynd ar ei daith gyntaf

roedd cefnogwyr y fasnach rydd yn cryfhau o gwmpas gwŷr fel Richard Cobden ac yn 1842 bu lleihad sylweddol yn y dreth fewnforio. Gorfododd methiannau cnydau ym Mhrydain ac Iwerddon lacio pellach ar gyfyngiadau mewnforio yn y blynyddoedd dilynol. Dilewyd y Deddfau Ŷd yn 1846 ac yn 1849 dileodd Prydain gyfreithiau oedd yn pennu pa wledydd oedd â'r hawl i ddarparu llongau i fewnforio nwyddau i'w phorthladdoedd. Yn 1853 lleihawyd grym y tollau. Fel y dengys y ffigurau a nodais eisoes, cynyddodd niferoedd y Sionis wrth i'r deddfau a'r rhwystrau gael eu llacio a'u dileu.

Yn yr hinsawdd honno canfu'r Llydawiaid fod ganddynt farchnad barod i winwns coch ardal Rosko. Nid bod winwns yn sylfaenol i ddeiet neb, yr oedd, yn hytrach, yn rhywbeth blasus, amheuthun i wraig y glöwr neu'r chwarelwr i'w roi yn y tocyn cinio, ychwanegol at y frechdan gaws a'r darn o gig. Roedd yn rhoi blas arbennig i'r cawl a'r lobscows. Hefyd, roedd yn rhywbeth y byddai gwraig y fferm yn ei gael yn dderbyniol. Roedd winwns Sioni'n rhagori ar y rhai y medrai'r ffermwr dyfu ar ei dir, neu'r glöwr yn ei ardd.

Paratoi am y tymor gwerthu

Cyn ymadael roedd yn rhaid sicrhau cyflenwad digonol o winwns. Rhai'n cael eu tyfu gan y Sionis eu hunain, cyfran helaeth yn cael eu prynu ar gredyd yn ystod mis Mai a mis Mehefin. Yn y cyfnod cynnar – cyn 1914 – roedd y Sionis yn gweithio mewn cwmnïau o rhwng 15 a 30 o ddynion. Yn 1902, yn ôl yr hanesydd cymdeithasol a daearyddwr Camille Vallaux, roedd 72 o gwmnïau yn hwylio i Brydain, y rhan fwyaf ohonyn nhw gyda 42 o ddynion.

Byddai sawl *master* ar y cwmnïau hyn, pob un yn buddsoddi hynny fedrai yn y fenter – cyfran mewn winwns wedi eu tyfu ar ei fferm neu dyddyn a chyfran mewn arian i brynu winwns o ffermydd eraill. Byddai'r fargen yn cael ei tharo dros botel o win ac i dincian gwydrau o gwmpas un o fyrddau Tŷ Pierre, neu un o gaffis niferus hen borthladd Rosko. Cedwid cofnod o'r cytundeb yng 'nghofrestr' y caffi – achubwyd un ohonyn nhw o'r bin sbwriel ac fe'i gwelir yn *La Maison des Johnnies*, amgueddfa'r Sionis drws nesa i'r swyddfa ymwelwyr ar hen gei Rosko.

Y cam nesaf fyddai cyflogi gweithwyr am y tymor. Eto byddai'r cytundebau hyn yn cael eu cofnodi yng 'nghofrestr' y caffi. Cytuno ar gyflog a sicrwydd o le i gysgu i'r gweithwyr – cornel o'r storws lle cedwid y sachau winwns yn amlach na pheidio. Roedd bwyd yn rhan o'r trefniant a weithiau darperid baco – ac roedd dau beint o gwrw'r dydd yn rhan o dâl pob rhaffwr. Hyd at yr Ail Ryfel Byd doedd dim anarferol mewn cael nifer o blant ym mhob cwmni. Cyfrifoldeb *Ar Master* oedd sicrhau bod ganddynt ddillad, eu bod yn cael chwarae teg ac nad oeddent yn cael eu camdrin. Pan aeth Jean-Marie Cueff am ei dymor cyntaf i Frynmawr roedd yn naw oed a'i dâl oedd rhent blwyddyn i'w fam ddi-briod a phâr o sgidiau. A'i gadw. Roedd hynny'n werth llawer a cheg yn llai i'w bwydo adre yn Llydaw.

Yn draddodiadol, byddai'r Sionis yn hwylio ar ôl dydd Pardwn Santes Barba – y trydydd dydd Llun ym mis Gorffennaf. Ar y diwrnod hwnnw byddai'r Sionis a'u teuluoedd yn gorymdeithio gyda'u baneri i'r capel bach gwyn a saif ar y penrhyn rhwng hen borthladd Rosko a'r porthladd dwfn, cyrchfan llongau *Brittany Ferries* a'r *Irish Ferries*. I'r Sionis a'u teuluoedd mae i'r dydd hwnnw arwyddocâd arbennig. Dyma'r dydd y byddent yn mynd i weddi i ymbil ar Santes Barba am i'r Sionis ddychwelyd yn ddiogel. Arferid cael coelcerth *(tantad)* ar ôl y Gosber ond fel llawer hen arfer fe aeth yn angof. 'Does gan yr offeiriaid ifanc ddim cydymdeimlad â'n hen arferion ni,' meddai un o hen Sionis Caerdydd, Olivier Bertevas, wrthyf un tro, 'ac mae'r bobol ifanc yn rhy ddiog i fynd mâs i gasglu coed ar gyfer y goelcerth.'

Dywedodd Jean-Marie Cueff wrthyf y byddai bob amser yn mynd i Gapel Santes Barba ddiwrnod neu ddau cyn hwylio i roi arian yn y blwch casglu, i sicrhau y byddai'n dychwelyd yn ddiogel. Drannoeth y Pardwn byddai'r hen borthladd yn brysur gyda cherti a cheffylau yn dod drwy niwl ysgafn y bore ar draws y wlad o Plouescat a Cleder tua Kastell Paol ac i lawr i Rosko. Ffermwyr yn dod â'u winwns i'w llwytho i'r llongau ar y cei yn barod i'r daith, a throliau eraill yn cario'r gwŷr, y gwragedd a'r plant yn eistedd ar gistiau'r dynion oedd ar fin hwylio i Brydain i ailgydio yn eu hen fasnach. Byddai'r gwŷr yn ddigon hwyliog – neu'n ymddangos felly – wrth sgwrsio a hel atgofion am brofiadau tymhorau a fu ond roedd y gwragedd a'r plant yn dawedog ac yn ateb i gwestiwn neu sylw â geiriau unsill.

Wedi cyrraedd Rosko byddai'r gwragedd yn mynd i siop i brynu dilledyn arall i'r gŵr neu'n mynd i Gapel Santes Barba i gynnau cannwyll ac offrymu gweddi. Byddai'r dynion yn crynhoi yn y caffis i sgwrsio ac yfed. Diwrnod i yfed oedd hwn, a sgwrsio. Fyddai dim chwarae dominos na *boules*. Diwrnod i baratoi'r rhai oedd yn mynd am y tro cyntaf, y *nevezhanted*, am yr hwyl, yr arferion, am y dyddiau byr a'r nosweithiau hir a llaith yn y wlad newydd.

Tra byddai'r Sionis yn sgwrsio ac yn yfed byddai'r llongau ar y cei yn cael eu llwytho. Sachau o winwns yn cael eu gollwng i lawr y llithren *(la glissière)* – darn o bren o'r cei i'r llong. Sgwners a *dundees* oedd y llongau yn yr hen ddyddiau. Llongau bychain, dwy hwylbren, y flaenaf yn fwy na'r un y tu ôl oedd y *dundees* gydag enwau fel *Kenavo, Araok, Sainte Anne* a *Jeanne*. Ym mis Gorffennaf, a mis Awst 1928 ac 1929 nid oedd yn anghyffredin gweld cynifer â dwsin o'r llongau hyn yn gadael hen borthladd Rosko ar y llanw.

Ymadael am Brydain

Wedi'r ffarwelio byddai'r gwragedd a'r teuluoedd oedd ar ôl yn mynd draw i'r bryncyn lle saif Capel Santes Barba ac wrth i'r llongau hwyliau lithro o'r hen borthladd rhwng Enez Ty Saozon a Chapel Santes Barba, byddai'r gwragedd o flaen y capel bach yn codi eu lleisiau mewn cân o fawl i Santes Barba – *'Kanomp gant joa meuleudi da Santez Barba'* (Canwn â llawenydd glodydd Santes Barba). Byddai'r llongau yn gostwng eu baneri o barch i nawddsantes y gwerthwyr winwns a'r gwŷr yn uno yn y gân. Wedyn fe genid anthem gwŷr Rosko – *'N'eus par e Breiz Izel da baotred Rosko . . . '* (Does neb tebyg yn Llydaw Isel i fechgyn Rosko.) Yn nyddiau'r stemars diffoddwyd y peiriannau am funud i glywed y gân ac o barch i Santes Barba. Mewn fawr o dro byddai'r ddwy garfan wedi diflannu o olwg ei gilydd ac ni fyddent yn cyfarfod eto tan y byddai'r Sionis yn dychwelyd am y Nadolig.

Roedd bron pob un o'r hen Sionis a gyfarfûm rywbryd neu'i gilydd wedi croesi ar long hwyliau. Nid yw hyn yn syndod o gofio mai yn 1952 y daeth y llong hwyliau ddiwethaf â winwns o Rosko i Brydain – rwy'n meddwl mai y *Mat Atao* oedd ei henw ac mae'n cael ei defnyddio hyd y dydd heddiw fel llong hyfforddi yn ysgol forwrol Pempoul (Paimpol).

Roedd croesi yn y llongau hyn yn antur go fawr. Dywedodd Olivier Creignou wrthyf am daith a gafodd e mewn llong hwyliau i'r Alban a barodd dair wythnos: 'Am y tri diwrnod cynta chawson ni ddim mymryn o awel,' meddai. 'Aeth wythnos heibio ac yr oedden ni'n dal i weld Rosko ar y gorwel. Yna cododd gwynt cryf ac yr oedden ni'n mynd yn chwim iawn, ond â ninnau yn nesáu at arfordir yr Alban fe gododd y gwynt yn storm ac o fewn dim roedden ni wedi cael ein chwythu nes ein bod ni'n gweld arfordir Norwy. Ac roeddwn i'n sâl bob cam o'r ffordd!'

Roedd rhai o'r Sionis yn arfer trin cychod yn ogystal â ffermio. Doedd eraill fawr o forwyr. Dechreuodd Marie Le Goff fynd i Lanelli gyda'i gŵr i werthu winwns ddiwedd y Rhyfel Mawr. 'O'n i'n sâl bron drwy'r amser ar y môr,' meddai yn ei Chymraeg bywiog, 'a phan o'n i'n mynd ar long â hwyl, weithie bydde'n cymryd wythnos i ni ddod o Rosko i Abertawe. Os nad oedd y gwynt yn iawn, chi'n gweld.' Daeth Marie drosodd bob blwyddyn – ac eithrio blynyddoedd yr Ail Ryfel Byd – tan 1979. Roedd hi'n wraig weddw ymhell cyn hynny a pharhaodd i ddod drosodd gyda'i merch Therèse a'i mab-yng-nghyfraith, Sebastien Prigent. Roedd tŷ ganddyn nhw ger Swyddfa'r Post yng nghanol tre Llanelli ac roedd hithau'n cofio'r llongau yn dychwelyd i Lydaw – yn aml iawn i Pempoul – gan gario glo.

Wedi hynny daeth y stemars, gan ddod â threfn newydd. Yn oes y llongau hwyliau byddai'r Sionis yn mynd drosodd ar y llong ac yn fynych yn helpu i drin yr hwyliau ac ati. Neilltuwyd ychydig le iddyn nhw i gysgu yn yr howld. Gyda dyfodiad y stemars daeth newidiadau pellach yn y dull o deithio. Byddai llawer o'r Sionis, yn enwedig wedi'r Ail Ryfel Byd, yn mynd ar y trên i Cherbourg neu Calais, yn croesi oddi yno ar gwch, cyn mynd ymlaen i'w canolfan, boed yn Lloegr, Cymru neu i fyny yn yr Alban. Byddai rhai o'r meistri a Sionis yn mynd drosodd cyn gweddill y dynion – i sicrhau stordy i gadw'r winwns a thorri brwyn ar gyfer eu rhaffu.

Ym mis Ionawr 1972 hwyliodd y Kerisnel, llong gyntaf cwmni *Brittany Ferries*, ar ei thaith gyntaf o Rosko i Plymouth. Dyna ddechrau'r dull *roll on roll off* ac roedd tair lori'n llwythog o winwns ar y fordaith gyntaf honno. Cyn hynny roedd rhaid llwytho a dadlwytho llysiau – gan gynnwys winwns – yn y porthladdoedd a byddai hynny'n difetha rhywfaint o'r cynnyrch. Byddai'r Sionis unwaith eto yn dod ar yr un llong â'r winwns. Roedd pethau wedi newid llawer ers taith gyntaf Henri Olivier. Flwyddyn yn ddiweddarach y dechreuodd *Brittany Ferries* gludo pobl a moduron a dechrau cyfnod newydd yn hanes Llydaw.

Yr Asiant

Daeth yr asiantiau yn bwysicach wrth i fasnach y Sionis dyfu. Mae'r enw Le Guerch yn gyfarwydd i genedlaethau o Sionis. Tebyg mai un o linach Le Guerch sy'n cael ei phortreadu gan Yves Marie Rudel yn ei nofel *Johnny de Roscoff:*

> Mae'r cwmni llawen yn codi eu gwydrau i Marie Johnniguet sy'n gwau o gwmpas y byrddau a chyfnewid gair neu ddau â hwn a'r llall. Hi fyddai'n trefnu'r daith ar ran y Sionis, gan ddilyn drwy lythyrau, hynt a helynt pob un o'i chwsmeriaid, rhai ohonynt i bellafoedd mwyaf diarffordd Prydain. Hi fyddai'n trefnu i adnewyddu stoc ei chwsmeriaid gan ffermwyr y fro ar ganol y tymor gwerthu.

Yr olaf o deulu Le Guerch yw Madeleine, hen wraig bellach, sy'n byw yn briodol ddigon mewn stryd o'r enw *Rue des Johnnies* yn Rosko. Pan werthwyd hen gartref mam-gu Madeleine yn 1936, yn addas iawn cafodd ei brynu gan yr awdurdodau a'i ddefnyddio fel tolldy. Dilyn yn ôl traed ei mam a'i mam-gu a'i hen fam-gu yr oedd Madeleine pan gydiodd yn y busnes pan oedd yn ferch ifanc, 21 oed, ar ddiwedd yr Ail Ryfel Byd.

Mae crwydro o gwmpas Rosko yng nghwmni Madeleine fel troedio darn o hanes cymdeithasol y rhan yma o Lydaw:

> Yma roedd warws fy nhad, a dyma gaffi fy mam a fy mam-gu . . . adeiladwyd y Café Tŷ Pierre gan fy nhad-cu a'r *crêperie* yna.

Ewch â hi am bryd i un o dai bwyta niferus y dref a bydd yn adnabod y perchennog, y cogydd ac un o'r bobol ifanc sy'n gweini:

> Roedd ei dad yn Sioni, un o 'nghwsmeriaid i . . . roedd ei dad yn

ffermwr – byddwn i'n prynu winwns wrtho ar gyfer rhai o fy Sionis.

Ac mae croeso mawr i unrhyw un sy'n ffrind i Madeleine:

Roeddwn i hefyd yn asiant i ddau gwmni llongau o Gaerdydd ac fe fyddwn i'n dod drosodd bob mis Medi i weld y Sionis a'r cwmnïau roeddwn i'n eu cynrychioli. Hanner gwyliau, hanner gwaith.

Allforio llysiau oedd busnes y teulu ac roedd gan fy mam gaffi drws nesa i storws fy nhad. Byddai'r Sionis yn dod at fy nhad – oherwydd gweithwyr cyffredin ar y tir, gweision ffermydd, oedd llawer ohonynt – ac roedd gwneud trefniadau ynglŷn â mynd drwy'r tolldai yn ofid iddynt nhw. Byddai fy nhad yn dweud wrthyn nhw, 'ewch at fy ngwraig yn y caffi, fe wneith hi eich helpu chi' a byddai hi'n gwneud y trefniadau drostyn nhw.

Un arall o'u gofidiau fyddai sicrhau bod ganddyn nhw le yr ochr draw. Mynd i'r llefydd tlawd, rhad fydden nhw. Llawer ohonynt i hen adeiladau mewn dociau. Fyddai neb arall eisiau'r stordai yma. Yr unig broblem allai ddigwydd oedd y byddai'r stordy neu'r hen siop wedi ei chwalu tra byddai'r Sionis yn Llydaw oherwydd cynlluniau datblygu'r dociau neu ardaloedd tlawd o dref neu ddinas. Felly fe fyddwn ni fel asiant yn sicrhau fod lle ganddyn nhw fynd a sgrifennu llythyron drostyn nhw.

Soniodd Madeleine wrthyf fel y byddai rhai o'r Sionis yr oedd hi'n gweithredu ar eu rhan yn ysgrifennu'n blygeiniol ati bob wythnos:

Byddwn i'n cael llythyr cyson wrth Jean-Marie Cueff o Gaerdydd a byddai pob un yn dechrau: 'Mae dydd Sul wedi dod unwaith eto ac mae'n rhaid i mi sgrifennu atoch chi'. Roedd hi'n amlwg fod sgrifennu yn dipyn o dasg i Cueff. Chafodd e ddim ysgol, wedi'r cwbl.

Fe wyddwn i hynny'n iawn. Roedd Cueff yn gwerthu winwns yn naw oed! Roedd yr awdurdodau Ffrengig yn fwy na pharod i ganiatáu i blant fynd i werthu i Brydain. Yn ôl a glywais, roeddynt o'r farn fod caniatáu i'r plant fynd i Loegr a dysgu Saesneg gystal addysg â dim iddyn nhw. Gwn i rai elwa o'u hamlieithrwydd wedi cwymp Ffrainc ar ddechrau'r Ail Ryfel Byd a chael eu gorfodi gan yr Almaenwyr i fod yn gyfieithwyr.

Cyn y Rhyfel Mawr doedd hi ddim yn anodd i'r Sionis ddod o hyd i stordai. Hen adeiladau nad oedd neb eu heisiau na'u hangen – hen siopau wedi'u condemnio. Roedd sawl stori am Sioni yn dychwelyd i Lydaw gydag allwedd yr adeilad yn ei boced. Gwn fod y stori yn wir am 'Peta' Claude Corre a arferai fynd i Glasgow. Fe daerodd wrthyf ei hunan mai dyna fyddai'n ei wneud. Doedd dim perygl o gwbl y byddai rhywun arall ei heisiau yn y cyfamser.

Peth arall roedd Madeleine Le Guerch yn ei wneud oedd hurio llongau ar gyfer y Sionis:

> Roedd y cyfnod yn union wedi'r Ail Ryfel Byd yn anodd dros ben oherwydd roedd cynifer o longau Llydaw a Ffrainc wedi eu dinistrio. Fe fyddwn i'n llogi unrhyw beth fedrwn i gael, llongau hwyliau – y *Mat Atao* oedd un ohonyn nhw – stemars, rhywbeth. Fe fyddwn i'n llogi llongau gan gwmni yn yr Iseldiroedd, llongau mawr a'r rheiny fyddai'n mynd â'r winwns i borthladdoedd yn yr Alban a gogledd Lloegr. Byddai'r llongau llai yn mynd i dde Lloegr a Chymru – Caerdydd, Abertawe a Phorthmadog.

Fe welodd Madeleine Le Guerch newid mawr pan sefydlwyd *Brittany Ferries*. 'O hynny ymlaen, yn lle llogi llongau byddwn yn llogi lorïau,' meddai. Byddai'n cadw cysylltiad â'r Sionis tra oedden nhw ym Mhrydain. Weithiau yn y tymor gwerthu byddai'n trefnu ac yn anfon llwythi ychwanegol iddyn nhw yn ôl y galw. Byddai Sionis eraill yn dibynnu ar eu gwragedd i wneud y trefniadau hynny.

Diddorol oedd clywed ganddi am ambell broblem iaith:

> Byddai gwraig Joseph Olivier oedd yn mynd i Gastellnewydd Emlyn yn dod ata i, a doedd hi ddim yn medru siarad nesa peth i ddim Ffrangeg, a doeddwn inne ddim yn dda iawn gyda fy Llydaweg. Bydde hi'n dod ata i i'r swyddfa ac yn gofyn 'Ble mae dy fam?' Byddwn inne'n ateb a dweud bod hi bant a bydde rhaid iddi siarad â fi. 'Ond dwi ddim am siarad â ti, dwyt ti ddim yn siarad Llydaweg!' Wedyn bydden ni'n cytuno, hi i

siarad Llydaweg a fi'n ateb yn Ffrangeg. Roedden ni'n deall ein gilydd yn weddol dda fel'ny.

Flynyddoedd yn ddiweddarach fe ddywedodd Michel – mab Joseph – wrthyf nad oedd ei chwaer iau yn medru Llydaweg. Roedd clywed hynny yn ofnadwy o drist – fod merch yn cefnu mor llwyr ar iaith ei mam. Unig iaith ei mam.

Roedd *transitaires,* fel y gelwid nhw, heblaw am Madeleine yn Roscoff. Gŵr o'r enw François Pichon ac un arall o'r enw Charles Huart. Che's i erioed y cyfle i adnabod y rheiny ond roedd Madeleine yn wraig amlwg yn y dref, yn aelod o'r Cyngor ac yn brif-ddirprwy faer am gyfnod.

Y Sioni ym Mhrydain

Trefn y cwmnïau

Yn ben ar bob cwmni oedd *Ar Master*. Ef oedd yn gyfrifol am bopeth. Fe ellid cael mwy nag un meistr, lle'r oedd mwy nag un wedi buddsoddi yn y cwmni – a chymryd bod y buddsoddiadau'n gyfartal. Ond fel rheol, hyd yn oed mewn sefyllfa lle'r oedd mwy nag un wedi buddsoddi arian a chyfrannu winwns i'r fenter, roedd un â'i gyfraniad yn fwy na'r gweddill. Hwnnw fyddai *Ar Master*.

Ef oedd yn gyfrifol am farnu mewn achos o ddadl. Ef oedd yn sicrhau fod stordy a lle i gysgu gan aelodau'r cwmni, a threfnu pryd y byddai angen rhagor o winwns. Ei benderfyniad e oedd ble y byddent yn gwerthu, pa bris i'w godi a derbyn a chyfrif yr arian gan y gwerthwyr gyda'r nos. Yn y blynyddoedd cyn y Rhyfel Mawr, ei gyfrifoldeb e oedd dod â'r arian yn ôl i Lydaw. Erbyn diwedd yr Ail Ryfel Byd roedd yr arian yn cael ei drosglwyddo drwy'r banciau. Byddai *Ar Master* yn talu aelodau'r cwmni mewn cinio arbennig a drefnwyd wedi iddyn nhw ddychwelyd i Rosko.

Ar Master fyddai'n gosod esiampl dda – y cynta i godi'n y bore. Ef fyddai'n ymdrin ag unrhyw broblemau gyda'r awdurdodau a sicrhau dealltwriaeth dda gyda'r heddlu. O dan yr *Aliens Order, 1920,* roedd yn rhaid i bob Sioni fynd â'i Dystysgrif Cofrestru i Swyddfa'r Heddlu yn union wedi iddo gyrraedd ei ganolfan ym Mhrydain. Ar y cyfan roedd y Sionis a'r heddlu ar delerau da. Fe fyddai croeso i'r plismyn alw am baned a sgwrs yn y stôr. Roedd y Sionis yn crwydro llawer a weithiau byddai ganddyn nhw wybodaeth ddefnyddiol i'r heddlu. 'Weden ni ddim bo fi'n leico'r "bobi" ond we tipyn gwell gen i e na'r *gendarme* unrhyw bryd,' oedd barn Michel Olivier a arferai fynd i Gastellnewydd Emlyn.

Y Rhaffwr

Cludwyd y winwns drosodd mewn sachau ac yn y stordy y plethwyd nhw'n rhaffau taclus a deniadol. Roedd hwn yn waith pwysig gan fod ymddangosiad y winwns yn bwysig. Roedd hon yn gelfyddyd, gwneud yn siŵr bod deuddeg neu bymtheg o winwns yn ymddangos mor ddeniadol â phosib i'r prynwr.

Y peth cyntaf a wnâi wedi cyrraedd fyddai mynd tua'r gors neu ochr y mynydd i dorri brwyn – *broen* yn Llydaweg. O fore gwyn tan nos byddai'r rhaffwr ar ei draed, y tu ôl i'r bwrdd yn rhaffu'r winwns wrth bum neu chwech brwynen. Dechreuai gyda winwnsyn mawr yn angor i'r rhaff. Rhoi'r brig gwywedig, neu ei 'gynffon' yng ngeirfa'r Sionis, wrth ochr y brwyn a throelli'r raffia o gwmpas y brwyn a chynffon y winwnsyn. Yna, gan ddefnyddio'r un llinyn o raffia, fe glymai weddill y winwns. Ar ôl yr un mawr sy'n angor i'r rhaff, clymai'r rhai llai gan gynyddu eu maint wrth fynd i fyny nes bod rhai mawr ar ben ucha'r rheffyn. Fe wnâi yr un peth eto cyn clymu'r ddau reffyn wrth ei gilydd i wneud un *pakat* – neu werth £5 y dyddiau hyn.

Roedd gwylio'r hen fechgyn wrthi fel gwylio gwraig yn codi ei gwau gan fwrw 'mlaen yn hamddenol a sgwrsio'r un pryd. Eu cefnau'n grwm, eu traed yn soled ar lawr – byddent wrthi am oriau. Gwaith y rhaffwr, yn draddodiadol, oedd gwneud bwyd hefyd. Weithiau byddai gwraig y bòs ac ambell ddynes arall yn rhan o'r cwmni a nhw fyddai'n gwneud bwyd a chadw'r lle'n daclus a rhaffu yn ôl yr angen. Ond mewn cwmnïau lle nad oedd menywod, y rhaffwr, neu raffwyr, fyddai'n coginio.

Byddai'r rhaffwr yn aros yn y stordy ac anaml y byddai'n mynd oddi yno. Heblaw am fynd allan i'r dafarn gyda'r lleill fin nos. Y traddodiad oedd fod hawl gan bob rhaffwr i ddau beint o gwrw y dydd ar ben ei gyflog. Mae sôn y byddai ambell un yn hepgor y cwrw ac yn gofyn i'r meistr roi gwerth y cwrw mewn arian iddo ar ddiwedd y tymor. Rhai prin oedd y gwŷr hynny, yn ôl yr hanes!

Beth bynnag am hynny, mae parch i raffwr da a galw am ei wasanaeth hyd heddiw. Cofiaf ddangos llun i Patrick Mevel o raffwr a ddaeth i Gaerdydd gyda Mevel wedi cyfnod Olivier Bertevas a Jean-Marie Cueff. Gyda hwnnw, tua 1980, y daeth Mevel – meistr y criw ifanc sy'n parhau i ddod i Gaerdydd – drosodd yn ddyn ifanc am y tro cyntaf. 'Dyna un o'r rhaffwyr gorau erioed,' meddai Patrick. 'Fe ddysgodd fi.'

Y Gwerthwr

Byddai'r gwerthwr allan drwy'r dydd, bob dydd. *Chiner* oedd gair y Sionis am y gwaith o fynd o ddrws i ddrws i werthu winwns. Deffrai'r gwerthwr am chwech o'r gloch y bore a byddai ar ei ffordd o ddrws i ddrws – bob dydd ond dydd Sul – erbyn i'r gwragedd orffen hwylio brecwast i'w gwŷr a hel y plant i'r ysgol. Cyn 1914 byddai'r gwerthwr yn mynd ar ei daith gan gario'r winwns ar y *vaz* – pastwn cryf gyda phedwar neu bump rhic bob pen i sicrhau na fyddai'r rhaffau winwns yn llithro oddi arno. Byddent yn cario oddeutu 10 a 12 kilogram. Weithiau, os bydden nhw'n mynd allan i'r wlad, fe ddefnyddient ferfa neu gert fach.

Daeth y beic yn boblogaidd tua 1921 a gellid cario rhwng 75 a 100 kilogram ar hwnnw. Golygai hyn fod y Sioni yn medru teithio dipyn pellach a marchogaeth y beic yn ôl i'r stordy. Byddai rhai o'r Sionis yn cael gof i osod darn o haearn y tu ôl i'r sedd, ac yn rhoi llwyth sylweddol ar hwnnw hefyd. Gwelais feic rhyfeddol gan un hen Sioni a arferai fynd i'r Alban. Yr oedd ganddo ddarn o haearn y tu blaen i'r *handlebars*, darn o haearn y tu ôl i'r sedd a darnau o rwyd pysgota i gadw'r winwns rhag mynd i'r olwyn. Roedd yn dipyn o gampwaith a bûm yn awgrymu'n gynnil ei fod yn ei gyflwyno i amgueddfa'r Sionis. Che's i ddim lwc!

Ganol y dauddegau dechreuodd rhai o'r meistri brynu faniau a theithio ymhellach i werthu. Daeth y pastwn i fri eto gan y byddai Sioni'n cael ei adael mewn tref neu bentref gyda llwyth o winwns ar ei ysgwydd. Arfer cwmni Patrick Mevel yng Nghaerdydd yw mynd â'r gwerthwyr a'u beiciau gyda nhw mewn fan a'u gadael pob un mewn tref neu bentref. Daw'r fan i'w casglu ar y ffordd adref gyda'r hwyr. Weithiau byddant yn mynd cyn belled â Bangor gan adael Sioni, beic a winwns yn y prif drefi ar y ffordd. Hen feiciau heb na chadwyn na theiars yn aml iawn! Yn yr hen ddyddiau byddai rhai Sionis yn mynd â'u beiciau ar fws neu drên er mwyn ehangu cylch eu gwerthiant.

Disgrifiwyd yr hen Sionis fel gwerthwyr siriol, bob amser â gwên ar eu hwynebau – ond rhai ofnadwy o benderfynol a thaer. Mewn mannau o Loegr fe'i gelwid yn *bell-breakers*. Os na fyddai gwraig y tŷ yn ateb caniad y gloch byddent yn tynnu arni nes y torrai. O gau drws y ffrynt yn glep yn ei wyneb fe âi'r Sioni i guro ar ddrws cefn, neu'r ffenestr.

Clywais stori am Sioni Winwns yng Nghaerffili a fyddai'n dod rownd ar fore Gwener gan ddilyn y dyn llaeth. Dyna'r diwrnod y byddai'r dyn llaeth yn casglu ei arian a byddai'r gwragedd yn dod allan i'w dalu – a chanfod Sioni yno hefyd! Yn y blynyddoedd wedi'r Ail Ryfel Byd lleihaodd niferoedd y Sionis a medrent fforddio aros yn eu hunfan a disgwyl i'r cwsmeriaid redeg atyn nhw.

Atgofion a phrofiadau'r Sionis

Roedd dipyn i'w ddysgu gan Sioni newydd, y *nevezhant*. Roedd yr hen arian Prydeinig – chwecheiniog, swllt, hanner coron, coron, chweugain – yn llawer mwy cymhleth na'r arian Ffrengig ac roedd yn rhaid dysgu'r iaith hefyd.

Dyma ddywedodd Olivier Olivier a arferai fynd i Hwlffordd a de Seisnig sir Benfro, wrthyf:

> *I was told to say 'Would you like some onions, please?' Very often I would not understand the reply, but I was always told to say 'Please' and 'Thank you'. Other phrases I learnt very early were 'May I have a drink of water – or a piece of bread, please?'*

Dywedodd Olivier wrthyf amdano'n cerdded bob dydd o gwmpas tref Hwlffordd, hen dref sy'n riwiau i gyd, gyda'r winwns ar y pastwn ar ei ysgwydd. 'Roeddwn i wedi cael digon ar yr holl gerdded,' meddai, 'ac wrth gwrs, roeddwn i'n ymweld â'r un bobol sawl gwaith yr wythnos. A byddai'r rheiny'n dweud wrtha i, "Ydych chi'n meddwl nag ydyn ni'n bwyta dim byd ond winwns? Ydych chi'n meddwl bo ni'n codi am dri o'r gloch y bore i fwyta winwnsyn?" Yn y diwedd fe ddwedes i wrth y meistr, os na chawn i feic y tymor wedyn y byddwn i'n mynd i werthu i rywun arall. A'r flwyddyn wedyn fe ge's i feic. Ar y diwrnod cynta allan â fi i'r wlad a gwerthu'r cwbwl cyn pen fawr o dro. Roedd poni a trap 'da'r *boss* a fel'ny bydde fe'n mynd o gwmpas y wlad yn gwerthu. Drannoeth i fod mâs yn gwerthu o gwmpas y wlad daeth 'nôl i'r stordy ac yr oedd yn amlwg ei fod mewn tymer ddrwg. "Rwyt ti wedi bod mâs yn y wlad yn gwerthu i 'nghwsmeriaid i." Bues i'n fwy gofalus wedyn.'

Pan ddechreuodd Oliver werthu byddai'n dod mewn llong hwyliau i Aberdaugleddau a byddai tynfad yn tynnu'r llong i fyny'r aber i Hwlffordd. Roedd gan ei gwmni stordy ar y cei y drws nesa i dafarn y *Bristol Trader*.

* * *

'Nid oedd fawr o gysur i fywyd – roedden ni yno i wneud arian,' meddai Jean-Marie Roignant. Treuliodd ei flynyddoedd olaf fel Sioni yn Perth yn yr Alban, mewn adeilad a elwid yn *City Mill*. Byddai'n dod drosodd weithiau gyda'i wraig a'i ferch. 'Tair oed oedd y ferch pan ddaeth gyda ni gyntaf ac ymhen dim yr oedd yn siarad Saesneg yn well na'r un ohonon ni. Roedd trydan a nwy 'da ni ond fawr ddim arall. Doedd e ddim yn fywyd i fenywod – nac i ŵr a chanddo deulu a dweud y gwir. Byw mewn hen adeilad oer a llaith. Y dewis oedd mynd â'r teulu gyda ni neu eu gadael nhw gartre. A doedd y naill na'r llall yn ddelfrydol.'

Wedi iddo hel tipyn go lew o arian rhoddodd y gorau i fod yn Sioni ac aros adre i ffermio mewn ardal o'r enw Lagad Vran rhwng Rosko a Kastell Paol.

Dechreuodd Roignant werthu winwns yng Nghaernarfon yn 1924 pan oedd yn ddeuddeg oed. Daeth y cwmni drosodd o Rosko i Gaernarfon mewn llong hwyliau. Y gwaith cynta roedd yn ei gofio oedd dadlwytho'r winwns a'u cario i'r storws. Byddai'n cael ei anfon i werthu winwns i Fôn. 'Rwy'n cofio, doeddwn i ddim mwy na thri afal – *comme trois pommes* – pan oeddwn i'n gwerthu winwns ym marchnad Llangefni,' meddai. Bryd hynny medrai siarad Cymraeg yn rhugl ond erbyn i mi ddod i'w adnabod roedd wedi anghofio bron y cyfan ohono. 'Dos adra diawl bach; ty'd yma tro nesa,' oedd rhai o'r dywediadau prin y medrai eu cofio. Er y medrai gofio enwau trefi a phentrefi Môn ac Arfon yn dda iawn.

Ar ei ymweliad cyntaf â Chaernarfon enillodd 200 ffranc ac fe gâi ei fwyd a'i lety. Yr oedd, bryd hynny, yn un o 24 o Sionis oedd â'u canolfan yn y dref:

> Roedd yna lawer o hwyl i'w gael yn y stordy. Bydden ni'n byw ar gawl a chig moch. Fe fyddai gennym ni ddarn mawr o gig moch wedi'i ferwi; yna byddai'r rhaffwr oedd yn coginio yn ei dafellu'n ddarnau, yn rhoi'r darnau tu ôl i'w gefn ac yn dewis darn i bob un heb weld y plât. Am hwyl fe fyddai'n twyllo ychydig bach er mwyn i'r un na fedrai oddef cig bras gael y darn brasaf o'r cwbwl. Roedd yn gymdeithas hwyliog. Ar y Sul fe fydden ni'n treulio'n hamser yn chwarae dominos. Bydde'n

Kastell Paol, a'r Eglwys Gadeiriol yng nghanol y llun. Arwydd o hen gyfoeth.

Un o hen dai Roskogoz – arwydd arall o orffennol gwych.

Corsairs. Rhan o hanes lliwgar Llydaw a Rosko.

Gwymona ar draeth ger Plouescat – gwymon yw gwrtaith traddodiadol winwns Rosko.

Cerdyn post – mae'r arfer o glymu llysiau'n rheffyn yn hen iawn yn yr ardal.

Tir ffrwythlon Bro'r Sionis.

Traeth gyferbyn ag Enez Siek.

Gorymdaith Santes Barba. Byddai'r Sionis yn gadael wedi'r Bererindod ar y trydydd Llun o fis Gorffennaf.

Sachau o winwns ar hen gei Rosko yn barod i'w llwytho yn y dyddiau gynt.

Dadlwytho'r gert ar y cei.

Llwytho'r llong.

Y gert yn wag a'r llong wedi'i llwytho.

Golygfa gyffredin o'r hen gei wrth i'r winwns a'r gwerthwyr baratoi i ymadael.

Capel Santes Barba. Yma byddai'r gwragedd yn gweddïo wrth i'r dynion hwylio bant.

Madeleine Le Guerch heddiw.

Yr Asiant. Madame Jeanne Le Guerch, mam-gu Madeleine Le Guerch.

Tu allan i gaffi'r teulu Le Guerch. Y ferch fach yn y rhes flaen yw Madeleine Le Guerch, yr olaf o'r teulu i fod yn Asiant i'r Sionis. Yma y byddai'r meistri a'r Sionis yn cytuno telerau a chofnodwyd y cytundebau mewn 'cofrestr' yn y caffi.

Rhaffwr wrth ei waith.

Gwraig yn rhaffu: Madame Jeanne Gallou yng Nghwmafan.

Pwysigrwydd crefft y rhaffwr. Rhaid llunio rhaff ddeniadol.

Gwerthwr (anhysbys) yn sir Fynwy wedi cael ei lun wedi'i dynnu mewn stiwdio rywbryd rhwng y ddau ryfel.

Rhes o Sionis yn un o strydoedd dociau Caerdydd yn negawd gyntaf yr ugeinfed ganrif. Roedd y cwmnïau yn fawr yn y dyddiau hynny.

Llong hwylio La Roscovite *yn ôl yn Rosko.*

Jean Berthou o Cleder. Bu'n gwerthu winwns yn Aberdeen cyn y Rhyfel Mawr. Dychwelodd ar La Roscovite *i Rosko yn Awst 1914 wedi i'r rhyfel ddechrau, taith a gymerodd fis ar y môr. Pan dynnwyd y llun hwn yn 1979 roedd dros ei bedwar ugain. Mae'n hel yr hadau winwns oddi ar y planhigyn ar gyfer eu hau ymhen dwy flynedd.*

'Paotred Rosko e Leith' – bechgyn Rosko yn Leith, Caeredin.
Aeth y cwmnïau yn llai wedi'r Rhyfel Mawr.

Claude Tanguy yn Sioni ifanc
yn yr Alban.

Claude Tanguy yn ganol oed.

Claude Tanguy yn henwr ar gei Rosko.

André Quéménér yn gwerthu winwns yn yr Alban wedi'r Ail Ryfel Byd.

Cwmni o Sionis yn yr Alban wedi'r Rhyfel Mawr.

Madame Roignant, gwraig Jean-Marie, a'i merch fach Françoise, yn Perth wedi'r Ail Ryfel Byd. Sylwer ar y dafol yn llaw dde y ddwy. Wedi'r Ail Ryfel Byd daeth yn rheidrwydd cyfreithiol ar bob gwerthwr i fod â thafol – neu glorian fach – yn ei feddiant ar bob adeg.

Françoise Roignant gyda'i hewythr, eto yn Perth.

'Peta' Claude Corre yn Glasgow am y tro cyntaf, ei dad ar y dde a chwsmer llewyrchus yn y canol.

'Peta' Claude yn ŵr gwadd ar noson Robbie Burns yn Glasgow. Dywedodd iddo gyfieithu 'Ye banks and braes' i'r Llydaweg a'i chanu y noson honno!

'Peta' Claude yn henwr yn Rosko yn 1979.

Teulu Marie Le Goff yn Santeg. O'r chwith: Sebastien Prigent (yn ei het Lydewig), Therèse Prigent, Marie Le Goff – sef mam Therèse – a Marie-Josie. Daeth Marie Le Goff i werthu winwns i Lanelli gyda'i rhieni wedi'r Rhyfel Mawr. Daeth wedyn gyda'i merch Therèse a Sebastien yn ymuno â nhw wedi iddo briodi Therèse. Fu Marie-Josie ddim yn gwerthu winwns ond treuliai ddau dymor bob blwyddyn yn yr ysgol gynradd Gatholig yn Llanelli. Yr awdur ar y dde.

Marie Le Goff yn ei gwisg Lydewig draddodiadol.

Jean-Marie Cueff (chwith) ac Olivier Bertevas tu allan i'w siop yn Bute Street yn 1978. Mae'r siop a hwythau wedi mynd ers blynyddoedd.

Olivier Bertevas yn yr Ais, Caerdydd. Fe welwch Sionis yn yr un lle hyd heddiw yn ystod y gaeaf.

Jean-Marie Cueff yn llwytho'i feic.

Pierre Guivac'h fu'n gwerthu winwns yn Abertawe, Newcastle ac yna yn yr Alban. Yma mae wedi ymddeol ac yn tyfu moron yn Dossen.

Jean-Marie Guivac'h – brawd Pierre – fu'n gwerthu yng Nghastell Newydd Emlyn, Aberystwyth, Caerfyrddin a'r Alban.

Michel Olivier (chwith) a'i dad Joseph, fyddai'n dod i Gastell Newydd Emlyn. Roedd y ddau yn rhugl eu Cymraeg. Tynnwyd y llun yn 1980 o flaen eu cartref yn Mechou Rouz.

Michel Olivier yn cael ei gyfweld gan yr awdur ar gyfer rhaglen i Radio Cymru yn 1989.

Claude Deridan gyda Jean Guivac'h ac Yves Hervé, Llydawr oedd yn rheolwr Gwesty'r Prince of Wales yng Nghricieth.

Cwmni Claude Deridan ym Mhorthmadog yn y pumdegau. Dechreuodd Deridan yn Wimbledon a daeth i Borthmadog wedi'r Ail Ryfel Byd. Mae e gyda'i wraig ar y chwith yn y rhes ôl.

rhaid i ni fynd i'r eglwys, i'r Eglwys Gatholig tua milltir o gastell Caernarfon. Byddai'r *boss*, fy ewythr Louis Roignant, yn rhoi dwy geiniog yr un i ni i'w roi yn y casgliad.

Roedd gan y cwmni ganolfannau eraill. Yng Nghaer roedd ganddyn nhw ddyn yn gwneud dim ond rhaffu ac roedd ganddynt ganolfan yn y Bala. Oddi yno byddent yn gwerthu o gwmpas Corwen, Betws-y-coed, Rhuthun ac mor bell â Chroesoswallt.

Bydden ni'n mynd â'r winwns o Gaernarfon i'r Bala a Chaer yn y ddwy fan oedd gynnon ni – dwy hen Fforden gydag olwynion pren a dau gêr ymlaen ac un i bacio.

Dysgodd Gymraeg drwy chwarae gyda phlant y dref, ond roedd yn rhaid i Jean-Marie – neu Shamar, fel y gelwid ef gan ei ffrindiau – weithio.

Rwy'n siŵr nad oeddwn i ddim mwy na phedair ar ddeg oed pan ddechreuais yrru un o'r faniau Ford hynny o gwmpas Ynys Môn. Byddwn i'n gollwng y gwerthwyr yn y boreau, bydden nhw'n mynd o gwmpas y ffermydd, a byddwn i'n eu cyfarfod gyda'r nos a dod â nhw'n ôl i Gaernarfon.

Roedd ganddo hoffter mawr o Gymru a phan fyddai ganddo brynhawn rhydd doedd dim gwell ganddo na mynd i 'gwrshin' – neu ymryson – cŵn defaid. 'Dyna'r cŵn clyfra welais i erioed. Un blwyddyn es i â chi defaid o Gymru adre gen i – roeddwn i'n meddwl y byd ohono.' Cofiai, hefyd, am argae Dolgarrog yn torri. 'Roeddwn i ar fy ffordd adre o ffair Corwen ac fe wnaethon ni aros am beint yn y gwesty yn Nolgarrog a rhaid ein bod ni wedi mynd oddi yno ychydig cyn i'r argae dorri.'

Wnaeth Shamar Roignant ddim aros yng Nghaernarfon. Doedd e ddim yn cyd-dynnu â'r *Master*, ei ewythr Louis Roignant. Er eu bod yn perthyn, ffraeo fel ci a hwch wnâi'r ddau ac yn 1927 aeth Shamar i werthu winwns yn Guernsey, ac yn 1929 fe ddechreuodd werthu yn Perth yn yr Alban. Erbyn hynny ef oedd y *Master*. Cynhesodd ei galon at y wlad a'r *glens*, a soniai lawer am ei ymweliadau ag Oban, Balachulish, Glencoe a Fort William. Yn Perth roedd ganddo wyth yn ei gwmni, gan gynnwys ei wraig, ei ferch, ei ewythr (nid Louis!) a phedwar o werthwyr. Ni ddysgodd ei wraig fawr o Saesneg ond roedd yn medru rhaffu gyda'r gorau.

Lladdwyd brawd iddo yn yr Ail Ryfel Byd. Sioni oedd yntau a'i ganolfan yn Stornoway ar ynys Lewes. 'Bu mewn parti gyda Charcot a'i forwyr y noson cyn i'r *Pourquoi Pas* hwylio i'w thranc ym Môr y Gogledd.' Tebyg iawn mai brawd Shamar Roignant oedd y 'Ffrancwr' olaf, heblaw am y criw a drengodd gydag e, i weld Charcot yn fyw.

Dyn bychan, sionc oedd Jean-Marie Roignant a chwim ei dafod. 'Comiwnydd rhonc' oedd barn Jean-Marie (Shamar) Cueff amdano. Yn sicr, roedd yn dipyn o ddarllenwr a dywedodd wrthyf ei fod yn hoff iawn o weithiau Émile Zola. Roedd hefyd yn genedlaetholwr tanbaid ac yn chwyrn ei feirniadaeth o'r modd yr oedd llywodraeth Ffrainc yn trin Llydaw. Bu farw tua 1994.

* * *

Tref fach y tu allan i Gaeredin ar y ffordd i Lanark yw Ballerno ac yno, yn ôl Claude Tanguy, mae'r bobl hyfrytaf yn y byd yn byw. Mor ddymunol nes iddo enwi ei dŷ yn Ballerno. Dechreuodd werthu winwns yn 1928 pan oedd yn dair ar ddeg oed. Ei ganolfan gynta oedd Leith, porthladd Caeredin. 'Rwy'n cofio bod 110 o Sionis yn Leith yn 1935/36,' meddai. Yr oedd Claude Tanguy yn stôr o wybodaeth ac roedd ei gartref yn archif o hen ddogfennau am fywyd y Sionis. Cytundebau gyda chwmnïau llongau a'r stordai a straeon a ymddangosodd mewn papurau lleol. Pan fûm yn Llydaw yn hel deunydd ar gyfer amgueddfa'r Sionis – *La Maison des Johnnies* – bu ei gymorth a'i wybodaeth yn amhrisiadwy. Roedd hefyd yn wybodus iawn yn rhinweddau a natur gwahanol fathau o chwisgis ac roedd ganddo ddewis ardderchog ohonyn nhw yn ei dŷ!

'Y Sionis oedd yn mynd i'r Alban oedd y rhai a adawai gynta, gan mai nhw oedd yn mynd bella, a nhw oedd yn cael y cynhaea cynta o winwns,' meddai. 'Bydden ni'n dod adre dros y Nadolig ac yn mynd yn ôl i werthu tan ddiwedd Chwefror. Os byddai winwns ar gael i'w gwerthu a dim gwaith yn Llydaw, weithiau bydden ni'n aros yn yr Alban tan ddiwedd Ebrill. Ond yn draddodiadol, diwedd Chwefror oedd diwedd y tymor.

'Roedd teuluoedd mawr yn ardal Rosko bryd hynny, ac roedd pob un oedd yn mynd i werthu winwns yn un geg yn llai i'w bwydo gartre.'

Mae ganddo yntau atgofion am feistri caled. 'Fydden ni ddim yn gweithio ar ddydd Sul, ond bydden ni'n gorfod codi am chwarter wedi hanner nos fore Llun i raffu winwns gan i ni fod yn segur ddydd Sul.'

Ni ellid cael dyn caredicach na Claude Tanguy. Cofiaf ymweld ag e un tro ac roedd newydd roi llety am wythnos i ddau Albanwr ifanc. Roedd y ddau wedi dod drosodd am wyliau heb air o Ffrangeg rhyngddynt. Roedden nhw wedi cerdded i Carantec ac wedi cysgu o dan gwch ar y traeth. Cerddodd y ddau 'nôl i Rosko a chan fod y ddau'n gwisgo cilt sylwodd Claude arnyn nhw a mynd atyn nhw am sgwrs. 'Chi oedd y dyn oedd yn arfer gwerthu winwns i Mam!' meddai un ohonyn nhw'n syn. Cawsant groeso a llety ar ei aelwyd am wythnos. Roedd Claude yn gefnogwr pêl-droed mor frwd â'r Albanwyr a byddai bob amser yn mynd i weld Hibernian yn chwarae. Ac yn gwerthu winwns ar ôl y gêm!

Y Sionis Cymreig

Os gallai ewythr fod yn feistr caled gallai tad fod yr un mor galed. Wrth imi eistedd i lawr i ysgrifennu hyn o eiriau daeth cerdyn Nadolig wrth deulu y ddiweddar Marie Le Goff – Therèse ei merch a Sebastien Prigent ei mab-yng-nghyfraith. Gyda'r cerdyn roedd nodyn i ddweud bod fy nghyfaill Michel Olivier wedi marw. Bu'n dioddef o gancr ers tair blynedd ond roeddwn yn tybio y tro diwethaf i mi ei weld, ym mis Medi 2000, ei fod yn gwella. Rwy'n dyfalu ei fod tua 55 oed. Dechreuodd ddod i Gastellnewydd Emlyn i werthu winwns gyda'i dad pan oedd yn bymtheg oed. Mae'n debyg iddo ddechrau gwerthu gyda'i dad, Joseph, tua 1960 ac iddo ddod drosodd am y tro diwethaf yn 1974. Er mai dim ond am bymtheg tymor y bu'n gwerthu yng Nghymru roedd ei Gymraeg yn rhwydd ac yn rhugl. Tafodiaith godre Ceredigion a gogledd Penfro, iaith y 'wes wes' oedd ganddo.

'Tro cynta de's i drosodd we 'nhad wedi 'ngadel i a'r beic a'r winwns yn Nhyddewi a mynd 'i hunan yn y fan i werthu yn Hwlffor' neu rywle,' meddai. 'Wedd e wedi sgrifennu enw'r lle wen i fod i gwrdd ag e i fynd adre ar y'n llaw i.

'O achos *handle-bars* y beic a'r chwys, erbyn i fi edrych wedd enw'r lle wedi mynd. Wen i wedi gwerthu'r winwns ond we dim sôn am y tad. Gwedodd rhywun wrtho i bod e wedi gweld fan yn mynd 'nôl a mlân, ond yn y diwedd dechreuais i gerdded 'nôl i'r storws.

'Trwy Abergwaun, lan i Eglwyswrw a draw wedyn am Cenarth a Chastellnewy'. Cyrhaeddes y storws am bump o'r gloch y bore a gorfod codi am 'whech i fynd i werthu winwns 'to. Roedd y tad wedi bod yn whilo amdana i am orie a wedi ffôno'r "bobbies" a we rhywun wedi gweud iddyn nhw weld crwtyn gyda beic yn llefen yn Nhyddewi. Ond ges i ddim lot o sylw 'da fe. Cwmpes i mâs lot o weithe gyda fe, a fydden ni'n gweud, "wy ishe mynd adre at Mam". Cwbwl wede fe o'dd, "Cer 'te" a chynnig y *passport* i fi. Wedd e'n gwbod yn iawn na allwn i ddim ffindo ffor' 'nôl i Llydaw ar ben y'n hunan.'

Soniai am y teithiau yn y fan o gwmpas y wlad. 'Weithie bydde'r ffarm tua milltir o'r hewl fowr a bydde, falle, wyth o lidiarde i agor a cau cyn cyrraedd. Wedyn bydden ni'n cnoco a dim ateb. Ambell waith os o'n i'n credu bo fi wedi gweld y cyrtens yn symud bydden ni'n jwmpo miwn i'r fan a gadel y llidiart cinta ar agor. A bydden ni'n gweld gwraig y ffarm yn rhedeg mâs ar y'n ôl i! Wedyn bydden ni'n gwerthu winwns iddi.

'Wy'n cofio tro arall, o'dd un o'r bois wedi gwerthu winwns pwdwr (wedi pydru) i ffarmwr ar bwys Castellnewy'. Wedd y ffarmwr wedi achwyn wrtho hwnnw pan gwelodd e fe wedyn. A wedodd y bachan, "rhaid i ti siarad â'r *boss*". Wythnos neu ddwy wedyn fe welodd y ffarmwr un arall o'r bois yn gwerthu ym mart Castellnewy', a 'ma fe'n achwyn wrth hwnnw. A 'ma hwnnw'n dweud wedyn, "Rhaid i ti siarad â'r *boss*". Digwyddodd hynny sawl gwaith. Un nosweth wên ni i gyd yn cael peint yn yr *Ivy Bush* a dyma'r ffarmwr yn cer'ed miwn a mynte fe – "Reite, a p'un ohonoch chi'r diawled yw'r *boss*?" '

Siaradai Michel yn ddifyr am y tymhorau a dreuliodd yn dod i'r gornel lle mae'r tair sir yn cwrdd. Boreau Sul yn mynd draw i Abercuch a'r *Nag's Head* – neu 'Tafarn llygoden' fel o'dd e'n ei galw hi. Roedd yno glampen o lygoden wedi'i stwffio mewn bocs gwydr ar un adeg, wedi'i dal yn yr ardd gan berchennog y dafarn. Mae'n debyg mai ryw anifail cymharol ddiniwed o Dde America o'r enw *coipou* oedd y llygoden ac iddi ddod i Aberteifi ar long.

O'r tair sir – Caerfyrddin, Penfro a Cheredigion – Penfro oedd y gyntaf i bleidleisio o blaid agor tafarnau ar y Sul, a chan mai yn sir Benfro'r oedd Abercuch, yno y byddai'r Sionis yn disychedu ar y Sul.

Chwith meddwl na chaf innau dorri syched a mwynhau sgwrs yn Gymraeg gyda Michel yn y caffi wrth yr eglwys yn Santeg. Gwrando ar ei atgofion am y gaeafau a dreuliodd yn llofft stabal Cwrt Coed ac am y ffermwr, Ben James. 'Wedd e wastad yn dweud 'na' i bopeth, ond wedd e'n rhoi fiwn yn y diwedd. Wy'n cofio wên i wedi meddwi un nos Sadwrn a we pen tost ofnadw 'da fi bore Sul. A 'ma Jâms yn dod draw aton ni a'r cwbwl wedodd e we, "asyn twp, asyn twp, jiw-jiw, asyn twp!" '

Rwy'n falch nawr i fi lwyddo i recordio Michel ar gyfer dwy neu dair rhaglen radio ac fe gafodd ei recordio ar gyfer rhaglen deledu y bûm yn gweithio arni hefyd, ac rwy'n meddwl iddo gael ei recordio ar gyfer un rhaglen Gymraeg ar ôl hynny. Roedd ei Gymraeg yn wirioneddol dda a doedd fawr o Saesneg ganddo. 'Dim gair' yn ôl ei dystiolaeth ei hun, ond mae'n siŵr bod ganddo rywfaint, digon i gyfathrebu os nad i gynnal sgwrs. Bu Ioan Roberts o Gwmni Teledu Seiont a minnau yn ymbil arno i ddod drosodd i Gastellnewydd Emlyn i ni gael gwneud rhaglen amdano. Er iddo gytuno i ddechrau fe wrthododd wedyn, a hynny heb eglurhad. Rai misoedd wedyn fe ges wybod pam y bu iddo wrthod. Yr oedd yn brwydro yn erbyn y cancr.

Bu'n briod am gyfnod â merch o Baris yn ôl a ddywedodd rhywun wrthyf. Ni pharhaodd y briodas yn hir; nid pob merch fedrai ddygymod â bod yn wraig i Sioni a thyddynnwr yn Llydaw. Wedi marw ei rieni bu'n byw ar ei ben ei hun, fe a'r ci, yn hen gartre'r teulu yn Mechou Rouz (Mecheroux). Mae gan frawd iddo fusnes trydanol yn y pentre – roedd y ddau yn hoff o fynd allan gyda'i gilydd mewn cwch ar fore Sul i bysgota mecryll. Roedd chwaer iau ganddo yn byw yn Plougoulm. Rhoddodd y gorau i ffermio cyn y diwedd a bu'n gweithio i ffermwr arall yn y cyffiniau. Fydd mynd i Santeg a Dossen a throsodd i Enez Siek byth 'run fath heb gyfle am sgwrs gyda Michel.

* * *

'Cymry' oedd Sionis yr ardal o gwmpas Santeg a Dossen. Os oes ambell un o gyffiniau'r pentrefi hyn yn parhau i ddod drosodd i Brydain – mae un na fedra i gofio'i enw yn mynd i Southampton – yng Nghymru y dysgon nhw eu crefft. Ac mae'r gŵr sy'n awr yn mynd i Southampton yn medru Cymraeg lled dda o hyd.

Yng nghyffiniau Santeg y mae'r brodyr Autret a arferent fynd i Borthmadog yn byw. Felly hefyd deulu niferus Gallou a fu'n dod am ddegawdau i ardal Aberafan. Roedd gan un ohonyn nhw – y diweddar Yves Gallou – dŷ a enwodd yn Santec yn Aberafan, a thŷ a enwodd yn Aberavon yn Santeg. Mae ei weddw, sydd wedi ail-briodi, yn cadw cysylltiad â'r ddwy ardal.

Ac wrth gwrs, Joseph tad Michel. Fûm i ddim yn ddigon ffodus i recordio llais Joseph ond cofnodais sawl sgwrs ag e. Roedd ei Gymraeg yn berffaith, cystal ag unrhyw Gymro.

Olivier Bertevas, un o hen Sionis Caerdydd, a'm rhoes ar drywydd Joseph Olivier. Gofynnais iddo a wyddai am unrhyw Sioni rhugl ei Gymraeg. 'Doedd dim Saesneg ganddo fe achos o'n i'n gorfod cyfieithu drosto fe pan fydden ni'n mynd drwy'r tollau,' meddai Bertevas, 'ond fe ddweda i hyn, roedd e'n gwerthu lot fawr o winwns.'

Rwy'n cofio'r tro cynta imi gyrraedd ei fferm ar gyrion Mechou Rouz. 'Prynhawn da, syr, shwd y'ch chi?' meddwn i yn Gymraeg. 'Da iawn, fachgen, o ble'r y'ch chi'n dŵad?' atebodd yntau mewn Cymraeg perffaith. Gofynnais iddo a gawn i sgwrs ag e. Yn bendant, ond yn foneddigaidd, mynnodd fy mod yn dod am sgwrs ar brynhawn Sul, yn un o dafarnau Dossen – 'y dafarn sy'n gwerthu baco'.

Cofiaf gyrraedd 'y dafarn sy'n gwerthu baco' – y *Café Tabac* – o leia hanner awr yn hwyr. Roedd y lle'n llawn a phawb yn tawelu wrth i fi ddod 'mewn. Fedrwn i ddim gweld Joseph yn unman. Es o un stafell i'r llall a'r lle'n tawelu bob tro. Yna'n ôl i'r gynta. Wedyn dyma lais yn torri'r distawrwydd. 'Ble'r y'ch chi wedi bod 'te, fachgen?' Doeddwn i ddim wedi ei adnabod gan ei fod yn gwisgo cap ac yn edrych yn iau mewn dillad trwsiadus. 'Faint o'r gloch yw hi nawr 'te, gwedwch?' Roedd yn mwynhau'r tynnu coes.

'Mae newydd droi hanner awr wedi pump,' atebais innau braidd yn gloff, braidd yn gelwyddog.

'A phwy amser wedoch chi byddech chi'n dŵad?' Roedd e'n dynnwr coes heb ei ail.

Pan fyddai gwraig yn gofyn iddo 'Sawl pownd s'da chi ar y rhaff yna?' ateb Joseph oedd 'O, sa i'n gwbod.' Wedyn byddai'r wraig yn gwylltio ac yn dweud, 'Be chi'n feddwl, sano'ch chi'n gwbod?' 'Sana i'n gwbod sawl pownd s'da fi ond wy'n gw'bod sawl *pwys* s'da fi!'

Roedd Joseph Olivier yn un o wyth o blant ac roedd tipyn o waith llenwi boliau pob un ohonyn nhw. 'Wedd digon o datw i ga'l a thamed o gig moch 'dag e os o'ch chi'n lwcus – a digon o fara – ond os na we chi'n leico cig moch wedd hi ddim yn dda arnoch chi. Dim ond weithe ar ddy' Sul we chi'n ca'l cig ffresh.'

Mewn cyfnod llwm yn 1931 ac yntau'n ddeuddeg oed yr aeth Joseph i Gastellnewydd Emlyn gyda'i dad am y tro cyntaf. Bryd hynny byddai llong hwyliau'n dod i Aberteifi – bron hyd y bont ar draws afon Teifi. Yno bydden nhw'n dadlwytho a mynd â'r sachau winwns mewn lori lan i Gastellnewydd Emlyn. Am flynyddoedd eu canolfan oedd Sussex Yard yn Adpar, y darn o'r dre sy' yng Ngheredigion. Wedi hynny aethon nhw i fferm Cwrt Coed. Ben James, Cwrt Coed oedd perchen Sussex Yard hefyd.

Fel y dywedwyd eisoes, y dull traddodiadol o werthu winwns oedd *ar vaz* – y pastwn ar yr ysgwydd. Wedyn daeth y beic ond wrth i fwy a mwy o Sionis brynu faniau daeth y pastwn yn boblogaidd am yr eildro. Byddai'n hwylus mynd â'r gwerthwyr mewn fan a'u gollwng, pob un yn rhywle gwahanol, pob un gyda'i bastwn yn llwythog o winwns. Roedd gan Joseph Olivier fan a byddai'n ei gadael yn barhaol ar fferm Cwrt Coed.

Yn ots i Jean-Marie Roignant fe gafodd Joseph ei gosbi am yrru fan pan oedd yn rhy ifanc. 'Fe ges i 'nala gan Seimon Davies y plisman. Fe ges i goron o ffein am ddreifio'r fan a 'nhad goron o ffein am adel i fi neud.'

Yr oedd yn amlwg yn gwerthu winwns dros ardal eang. Mae'n rhaid ei fod, oherwydd pan dorrodd yr Ail Ryfel Byd roedd pedwar ar ddeg o Sionis yng Nghastellnewydd Emlyn a deg o ddynion yn Llanbedr Pont Steffan gyda François Kergoat, neu

Francis fel roedd pawb yn ei alw. Byddai'n gwerthu bron cyn belled ag Aberaeron, ond tiriogaeth Francis oedd y dre honno. Roedd disgwyl i'r Sionis gadw i'w hardaloedd nhw eu hunain. Wedi i Francis roi'r gorau iddi yn y chwedegau, ehangodd Joseph a Michel eu busnes yn uwch i fyny'r sir. Byddai'n mynd lawr cyn belled â Maenclochog yng nghanol y Preseli unwaith y mis i gwrdd â'i gefnder Olivier Olivier a ddeuai lan o Hwlffordd.

Pan gychwynnodd y rhyfel bu raid i Joseph ddychwelyd ond syrthiodd Ffrainc yn fuan a dychwelodd i Brydain mewn ymateb i apêl Charles de Gaulle. Treuliodd y rhyfel ar long yn hwylio rhwng Lisbon, Freetown ar orllewin Affrica a Greenock. Wedyn yn 1948 roedd yn ei ôl yng Nghastellnewydd Emlyn yn gwerthu winwns.

Pan fûm i'n sgwrsio ag e yn 1979 yr oedd yn dal i hiraethu am ei ffrindiau a'r gymdeithas dafarn yng Nghastellnewydd Emlyn. Nid oedd yn syndod fod y Sionis yn treulio cymaint o'u hamser mewn tafarnau. Roedd yn braf cael dianc am rai oriau o'r stordy a mwynhau tân a chynhesrwydd a mymryn o gysur. Roedd wedi cael croeso gan y Cymry a dillad, bwyd a drws agored bob amser, ac os oedd angen arian i dalu'r *duty* ar y winwns, byddai'n cael benthyg yr arian gan un o'r tafarnau – neu gan Ben James. 'Wên i'n talu nhw 'nôl cyn pen yr wythnos bob tro, ond wes, ma' 'da fi lot o le i ddiolch iddyn nhw,' meddai Joseph. 'A wedyn pan wên i'n aros yn Cwrt Coed, 'na'r bobol ore weles i ariôd. Ma' arna i ddyled fowr i Ben James.'

Fe ddaeth mwy o Saeson i ardal Dyffryn Teifi wedi'r rhyfel a doedd Joseph ddim yn medru dygymod cystal â nhw. 'Wy'n cofio bo nhw ddim yn galle gweud Crimich ac Aber-cuch, Crimick ac Aber-kick wên nhw'n weud. Wy wedi difaru lot am benu gwerthu winwns, we'r Cimry shwt bobol neis.'

Yr arfer oedd dod ag ugain tunnell o winwns drosodd ddechrau'r tymor. Wedyn byddai ei wraig yn trefnu anfon ugain arall tua diwedd mis Tachwedd a bydden nhw'n dod ag ugain drosodd wedi'r Nadolig. 'Wên i'n gwerthu tri seis o raff a whare teg, we'r ffermydd wastad yn prynu'r un fowr.' Roedd maint y rhaffau yn gallu amrywio. Dywed Patrick Mevel, sy'n teithio o Gaerdydd i werthu winwns ledled Cymru a rhannau o orllewin Lloegr, ei fod yn gwneud rhaffau i'w gwerthu am £5 yng Nghymru a rhai i'w gwerthu am £8 ym Mryste.

Rwy'n cofio darllen cerdd Isfoel, 'Shoni Winwns – adeg rhyfel' i Joseph Olivier ac awgrymu wrtho tybed ai fe oedd y Sioni yn y gerdd.

Croeso mawr i'r newydd da,
Penderfynu prynu rhaff
A chael hwyl ar lyfu gên
Wedi gweld fod Shoni'n saff.

Dywedodd y byddai'n ymweld â fferm y Cilie sawl gwaith bob tymor ac fe gofiai Dafydd Jones (Isfoel) a'r 'un gyda'r gwallt coch' (Alun fuasai hwnnw). Dywedodd wrthyf i Alun roi papur pumpunt iddo mewn camgymeriad un tro yn Aberteifi ac iddo yntau roi newid o bunt iddo. Y naill na'r llall wedi sylwi ar y camgymeriad. 'Fe es i â'r arian iddo fe tranno'th,' meddai Joseph. 'Bydden i'n mynd i'r Cilie weithie i moyn brwyn ar gyfer rhaffo.'

O sôn am farddoniaeth cofiaf ddweud wrth fyfyriwr o Avranches oedd â'i gyn-deidiau o dras Sionis Rosko, am y cerddi, yn arbennig yr englynion, a ysgrifennwyd i ganmol y Sionis. Roedd wedi dotio fod beirdd o Gymru yn clodfori'r gwŷr tlawd a chyffredin hyn yn y fath 'fesurau clasurol', ond ni welai Joseph Oliver ddim yn rhyfedd yn y peth.

* * *

Soniais eisoes am broblem dysgu iaith. Gan fod y Sionis yn dechrau mor ifanc roedd yn amlwg nad oedd dysgu iaith newydd yn fawr o drafferth iddyn nhw. Yn draddodiadol, Llydaweg oedd iaith y stordy a Saesneg fyddai iaith y stryd – heblaw, wrth gwrs, ymysg y niferoedd sylweddol oedd yn dod i Gymru. Rai blynyddoedd yn ôl anfonodd cyfaill bwt o stori i mi o'r *South Wales Daily Post & Cambrian Daily Leader*, rhifyn Tachwedd 17eg, 1930. Dyma'r hyn a ymddangosodd yn y papur:

Breton Onion Seller in the Soup
Charles Floch, a Breton onion seller whose address was given as Llygad Vrych, Llanelli, was fined 20s at Llanelli Police Court for failing to have two obligatory lights in front of his motor lorry. He

asked for the services of a Welsh interpreter. He said he could not understand English, but was able to understand Welsh.

Weithiau fe gaf ryw bwtyn o hanes diddorol y mae'n anodd gwybod beth i'w wneud ohono – ond nad oes unrhyw reswm dros beidio â'i goelio. Un noson, ddau neu dri gaeaf yn ôl, roeddwn yn darlithio am y Sionis i Gymdeithas Hanes Caerffili. Dros baned o de ar ddiwedd y noson daeth henwr ataf – rwy'n tybio ei fod dros ei bedwar ugain. Ni fedrai Gymraeg, fel mwyafrif aelodau'r Gymdeithas, ond roedd ei deulu yn hanu o ardal Pont-rhyd-y-groes yng ngogledd Ceredigion. Dwedodd stori a glywsai gan ei fam-gu. Roedd ei hen fam-gu o Gernyw – daeth llawer o bobl o Gernyw i'r gweithfeydd mwyn yng ngogledd Ceredigion yn y bedwaredd ganrif ar bymtheg. Yn ôl stori'r gŵr o Gaerffili roedd ei hen fam-gu, ei fam-gu a Sioni Winwns ym Mhont-rhyd-y-groes – yr hen fam-gu yn siarad Cernyweg, y fam-gu yn siarad Cymraeg a Sioni yn siarad Llydaweg a'r tri yn deall ei gilydd yn berffaith! Wn i ddim pryd y daeth y Sioni cynta i Gymru ond yn sicr ddaeth e ddim cyn 1828. Os felly, be wnawn ni o'r honiad i'r Gernyweg gael ei chladdu yn 1777 pan fu farw Dolly Pentreath o Mousehole? Rwy'n barotach i gredu stori'r gŵr o Gaerffili na'r honiad i'r Gernyweg farw yn 1777 a bod yna bobl yng Nghernyw a gogledd Ceredigion yn ei medru ddegawdau os nad ganrif yn ddiweddarach.

Weithiau, yn enwedig yn achos plant ifanc a ddeuai drosodd gyda'i rhieni, byddent yn anghofio'u Ffrangeg. Roedd Odette Keriven yn arfer mynd i Hull gyda'i rhieni ac wedi chwe mis yn Lloegr yn siarad Llydaweg yn y stordy a Saesneg gyda phlant bach yn y stryd, roedd wedi anghofio ei Ffrangeg pan ddychwelodd i Rosko. 'Byddai'r plant eraill a'r athrawon yn gwneud hwyl am fy mhen,' meddai.

* * *

Dywedodd Guillaume Le Duff – neu Lom an Dukik fel y'i gelwid gan siaradwyr Llydaweg yn Pen-ar-Prat ger Plouescat, iddo gael peth addysg cyn iddo fynd i werthu winwns yng Nghaerdydd. Roedd yn bymtheg oed yn cychwyn. 'Pa obaith oedd gan blant oedd yn gwerthu winwns pan oedden nhw ond naw oed?' meddai. 'Pan es i Gaerdydd byddwn yn prynu'r papurau newydd ac er mwyn cael peth addysg byddwn yn eu darllen ar ôl diwrnod o waith. Doedd gen i ond y nesa peth i ddim Ffrangeg y dyddiau hynny. Ffrangeg, wrth gwrs, oedd cyfrwng ein haddysg ac fe fedrwn ei darllen a'i hysgrifennu yn eitha ond roeddwn yn ei chael yn anodd cynnal sgwrs yn yr iaith nes i mi fynd i'r fyddin yn 1930. Cefais fy nanfon i Algeria yr adeg honno. Pan ddychwelais i Benarth rwy'n cofio mynd yn ôl i werthu winwns at ddynes oedd yn enedigol o Ffrainc, a honno'n canmol fy Ffrangeg oedd wedi gwella llawer ers y tro y bûm yn gwerthu winwns iddi o'r blaen. Fydda i byth yn siarad dim ond Llydaweg gyda'r wraig ac mae'r ddau fab yn medru'r iaith yn rhugl.'

Pan ddechreuodd Lom an Dukik werthu winwns yng Nghaerdydd yr oedd yn un o gwmni o ugain. 'Byddai'r llong yn dod fyny'r Doc Gorllewinol *(West Canal Wharf)* i'r fan lle'r oedd hen felin *Spillers*. Yno byddem yn dadlwytho'r winwns ein hunain – pe bai'r docwyr yn gwneud y gwaith byddai'n rhaid i ni dalu iddyn nhw, a byddai'r elw yn llai. Wedyn draw â ni am beint i'r *Butetown Tavern*. Fe fydden ni'n gwerthu lot o winwns mewn tafarnau ac yn siŵr o gael hanner gan un o'r cwsmeriaid.

'Fe ddechreuais mewn cwmni o ugain ond wedyn fe es i werthu ar fy mhen fy hunan. Roeddwn yn gweithio'n ddi-baid, bob dydd, Sul a chwbl. Yn y diwedd aeth y gwaith yn drech na mi. Heblaw hynny doedd fy ngwraig ddim mewn iechyd rhy dda ac yn gofidio 'mod i ffwrdd cyhyd.

'Fe wnes i lawer o ffrindiau da. Fe fydda i'n dal i sgrifennu at rai pobol yng Nghaerdydd a Phenarth – fe fuodd pobol yn dda iawn i fi.'

Ond yn wahanol i lawer o'r Sionis, nid oedd gan Lom feddwl mor uchel o'r heddlu. Cafodd ei holi yn dilyn llofruddiaeth yng Nghaerdydd un tro, ac yn dilyn lladrad dro arall. 'Cafwyd hyd i gorff gwraig wedi'i llofruddio ym Mhen-y-lan, ger ffordd y byddwn i'n ei cherdded yn ddyddiol. Dychwelodd un plismon droeon ac fe ges i dipyn o ofn ac fe drodd fy ngwallt i'n wyn am gyfnod. Roeddwn i'n poeni cymaint nes 'mod i'n crio un diwrnod wrth werthu winwns yng Nghaerdydd.'

Mae ganddo gof o ddyn yn dwyn rhaffaid o winwns o'i law, ond rhedodd Lom ar ei ôl a gollyngodd y winwns i fynd. 'Dro arall roeddwn i mewn tafarn a daeth dyn ata i a dweud "Dieithryn wyt ti; dydyn ni ddim eisie dy siort di yma!" Daeth dau ddyn arall draw aton ni ac meddai un ohonynt wrtho fe, "Ti yw'r dieithryn yma, cer o 'ma a gad lonydd iddo fe." Roedd gen i lawer o ffrindiau yng Nghaerdydd.'

Roedd yn syndod canfod fod cymaint o Gymraeg ganddo, nid digon i gynnal sgwrs, ond digon i werthu yn sicr. Gan mai Caerdydd oedd ei ganolfan a de-ddwyrain Cymru oedd ei ardal, arferai deithio yn y blynyddoedd pan oedd yn aelod o gwmni cyn belled â Henffordd a Symmonds Yat. 'Yr oeddwn i'n medru gweld bod cysylltiad rhwng ein hieithoedd er na fyddwn i'n dod i gysylltiad â Chymraeg yn aml.'

Roedd yn ddyn arbennig o ddiwylliedig. Pan dorrodd y rhyfel bu'n rhaid iddo ddychwelyd ar fyrder i Lydaw ac fe'i cymerwyd yn garcharor rhyfel. Treuliodd flynyddoedd y rhyfel yn agos i Turin yn cael ei orfodi i gyfieithu i'r Almaenwyr.

Cyn i mi adael ei fwthyn bychan – un tlws fel cerdyn post â ffald dywodlyd o'i flaen – agorodd flwch bychan a rhoi darn o bapur newydd i mi. Adroddiad oedd e am farw un arall o hen Sionis Caerdydd, Vincent Cabioch, a ymddangosodd yn y *South Wales Echo*, Ionawr 16eg, 1973:

> *Vincent Cabioch died last week when boarding a ship at Roscoff, when he slipped on the gang plank and fell on to the rocks between the vessel and the quay.*

Aeth y stori rhagddi i dystio i boblogrwydd y Sioni hwnnw a dreuliodd 35 o dymhorau yng Nghaerdydd.

'Os gwelwch chi Olivier Bertevas yn ystod y dyddiau nesaf, a wnewch chi roi hwn iddo fe? Roedd Vincent yn frawd-yng-nghyfraith i Olivier.' Bûm cystal â 'ngair.

Gelwais yn Pen-ar-prat ddwywaith neu dair wedi hynny ond nid oedd neb yn y tŷ a chan ei fod yn byw draw ar ffiniau bro y Sionis ni chlywais ddim o'i hanes byth wedyn.

* * *

'Wyddost ti ble mae'r orsaf reilffordd ucha ym Mhrydain?' holodd y gŵr bychan sionc. Wyddwn i ddim, a phetawn i'n gwybod, fuaswn i ddim am ddifetha'i hwyl. 'Waunafon ger Blaenafon, sir Fynwy,' meddai'n bendant. Sôn yr oedd am reilffordd 'arferol' – nid trenau fel trên bach yr Wyddfa a threnau cledrau cul. Jean-Marie Prigent oedd enw'r gŵr, Shamar Vihan i'w ffrindiau oherwydd roedd yn ddyn bychan iawn. Arferai fyw ar gyrion Kastell Paol, rhyw dair kilometr o Santeg.

Mewn caffi o'r enw *Rendez-vous des Amis* oedden ni. Nid yw'r caffi yno mwyach, hynny neu mae'r enw wedi'i newid. Bu Shamar Vihan yn gwerthu winwns ym Mlaenafon ers pan oedd yn ddeuddeg oed a'r wers gyntaf a ddysgodd oedd i beidio gadael y winwns ar y pastwn tu blaen y tŷ a mynd i'r cefn i gnocio'r drws. 'Fe fyddai'r defaid yno mewn chwinciad a chnoi darn o bob winwnsyn ar y rhaff,' meddai. 'Byth yn bwyta winwnsyn cyfan, ond yn difetha pob un ar y rhaff. Fe welais i'r defaid hynny'n cymryd torthau o fasgedi siopa'r menywod yn Broad Street.

'Roedd bywyd yn galed y dyddiau hynny. Rwy'n gallu teimlo'r *vaz* ar fy ysgwydd hyd heddiw. Weithiau byddai'r croen yn torri dan y pwysau ac erbyn nos byddai'r crys wedi glynu yn y grachen. Cofia di, roedd bywyd yn galed yng Nghymru hefyd, yn blydi caled. Wyt ti'n gwybod ble mae Pwll-du? Mae e dair milltir dros y mynydd o Flaenafon. Y cwbwl oedd 'na oedd tafarn, fferm a rhes o dai. Yn 1923 rwy'n cofio bod pawb ym Mhwll-du yn gweithio yn y chwarel yn cloddio'r garreg galch i adeiladu gwaith haearn Blaenafon a'r ceffylau'n tynnu'r llwythi mâs o 'na. Pan awn i yno fe fyddwn i'n gwerthu rhaff ym mhob tŷ – neb yn gwrthod.'

Treuliodd ddeugain a phump o dymhorau yn sir Fynwy. Yn ei flynyddoedd olaf yn nechrau'r saithdegau byddai ef ac un gwerthwr arall a rhaffwr yn dod i Flaenafon. Roedd ganddyn nhw fan a medrai restru'n hawdd y lleoedd yr arferent fynd iddyn nhw i werthu. Dydd Llun byddai'r ddau werthwr yn mynd i Abersychan a Thal-y-waun; dydd Mawrth, Abertyleri; dydd Mercher, Talybont-ar-Wysg ac Aberhonddu; dydd Iau, Aber-fan, Treharris, Trelewis, Bedlinog, Fochriw a Rhymni; dydd Gwener, un yn Nhredegar a'r llall ym Mlaenafon; dydd Sadwrn, y ddau a'r rhaffwr yn gwerthu yn Nhredegar.

Yr wythnos wedyn byddai eu teithiau fel a ganlyn: dydd Llun, Dowlais a Merthyr; dydd Mawrth, Abertyleri; dydd Mercher, un yng Nglynebwy a'r llall yn Aber-big; dydd Iau, Aberdâr, Rhigos, Glyn-nedd a Hirwaun (cofiai fod yn Hirwaun fferyllydd oedd yn gwsmer da); dydd Gwener, un ym Mlaenafon a'r llall ym Mryn Mawr; dydd Sadwrn, un yn y Coed Duon a'r llall ym Mryn Mawr. Byddent hefyd yn mynd ar deithiau achlysurol i'r Gilwern, Llangynidr, Llanfoist a'r Fenni.

'Fydden ni byth yn pwyso ar neb i brynu. Roedden ni'n gwybod ble i werthu a phwy fyddai'n debyg o brynu,' meddai.

Treuliodd flynyddoedd olaf ei oes yn hen ŵr gwargam mewn cartref hen bobol ar gyrion Kastell Paol. Euthum yno yn y gobaith o'i weld un bore Sul tua 1994. Edrychodd dynes y dderbynfa yn rhyfedd iawn arnaf pan ddwedais pwy oeddwn am ei weld. Aeth i nôl dynes arall ac edrychodd honno yr un mor od arnaf, ond ces fy ngwahodd i'w swyddfa. Dywedodd wrthyf, wedi i mi eistedd ac egluro pam roeddwn i am weld Shamar Vihan, iddo farw hanner awr cyn i mi gyrraedd. Roedden nhw'n ceisio cysylltu â'i deulu pan alwais i!

* * *

Fe ddeuai plant drosodd yn ifanc iawn fel rhan o gwmnïau'r Sionis. Yn 1896 bu cyfres o erthyglau yn y *Western Daily Mercury*, Plymouth, am y Sionis a dynnodd sylw'r gymdeithas er atal creulondeb i blant – yr NSPCC – at y ffaith fod plant ifanc iawn yn dod drosodd i fyw a gweithio mewn stordai ac allan ar y strydoedd yn gwerthu winwns. Bu ymchwiliad ond daethpwyd i'r casgliad fod plant y Llydawiaid yn cael eu bwydo'n llawer gwell na phlant Plymouth hyd yn oed os oedden nhw'n gweithio'n galed. Ni fu mwy o sôn am y peth ond fe glywais sawl ochr i'r stori.

Soniodd François Keriven wrthyf am y drafferth fyddai'r meistr yn ei gael i'w berswadio i fynd allan i werthu – ei lwgrwobrwyo gyda siocled neu ei fygwth. 'Doeddwn i ddim eisiau gadael y stordy,' meddai.

Yn 1920, yn un ar ddeg oed yr aeth Claude Corre, neu 'Peta' Claude fel y gelwid ef, i'r Alban am y tro cyntaf. Chafodd e erioed ddiwrnod o ysgol, heblaw am gyfnodau o ysgol nos. Honno, ac ysgol brofiad, roddodd ei unig addysg iddo. Hyd yn oed wedi iddo orfod mynd i'r ysbyty oherwydd yr hyn ddisgrifiodd i mi fel gwaedlyn yng nghefn ei ben chafodd e ddim mynd adre. Cafodd ei dad gerydd gan y meddyg am adael i'w fab fyw yn y fath le. 'Ond o fewn ychydig iawn o amser roeddwn i allan yn gwerthu winwns, ond ddim yn rhy agos i'r ysbyty gan fy mod i'n parhau i fynd yn ôl yno i'r meddygon gadw golwg arna i.'

Pan· oedd Therèse Prigent tua naw neu ddeg oed byddai'n mynd drosodd i Lanelli gyda'i mam a'i thad. Ei mam oedd Marie Le Goff. 'Doeddwn i ddim yn mynd mâs i werthu, dim ond dod gyda'r teulu. Rwy'n cofio crwydro ryw brynhawn yn y dociau yn Llanelli a gweld bachgen yr un oed â mi yn cysgu wrth ymyl llwyth o winwns. Roedd e'n gwerthu i gwmni arall, ddim gyda'n teulu ni, ond roeddwn i'n ei adnabod e'n iawn. Dyma fi'n ei ddeffro fe a dyma fe'n dechrau llefen a dweud y bydde fe'n cael cosfa pe bai'n mynd 'nôl i'w stordy ac yntau heb werthu'r winwns i gyd. Ac fe ddwedes i wrtho fe, dere 'nôl 'da fi i weld mam. Fe brynodd mam ei winwns e i gyd. Aeth y trefniant hynny ymlaen bob dydd am wythnose!'

Roedd yna ddywediad Saesneg: *'A good cry and a good lie is part of the little Johnny's stock in trade.'*

* * *

Roedd y teulu Prigent, neu gwmni Marie Le Goff fel y bydda i'n dueddol o feddwl amdanynt, yn un arbennig. Maen nhw'n byw yn ardal y Sionis fyddai'n arfer mynd i Gymru, ar gyrion pentre Santeg. Cefais lawer o hanes y teulu a'r ardal gan yr hen Farie ei hun. Byddai ei mam yn gweithio mewn ffatri canio sardîns ar Enez Siek lle'r oedd oriau gwaith yn dilyn amserau'r llanw. Mynd i'r gwaith ar y trai a dychwelyd ar y trai nesa. 'Adeg y rhyfel cynta fe fyddwn i'n gweithio yn yr ardd gyda Mam a Dad. Roedd gardd fowr gyda nhw. Ches i ddim ysgol erioed, dim diwrnod, ond dwi'n siarad Llydaweg, Cwmrâg, tipyn bach o Saesneg, a Ffrangeg – dim lot o Ffrangeg achos ches i ddim ysgol.

'Wedyn ar ôl y Rhyfel Mowr fe es i Lanelli i werthu winwns

gyda Mam a Dad. Wedi i fi briodi o'n i'n mynd gyda'r gŵr mewn trap a poni i werthu winwns rownd Pontarddulais a Chaerfyrddin a Gŵyr. Wedyn fe fues i'n gwerthu winwns yn y farced yn Llanelli a'r gŵr yn mynd gyda'r trap a poni. O'dd e'n gwerthu winwns wrth y rhaff a fi'n 'u gwerthu nhw wrth y pwys. Roedd merched Penclawdd â'u stondin cocls nesa ata i a bydden i'n cael llond bag gyda nhw bob dydd – a stêc a *chips* i ginio. Mae stêc yn gwneud yn glou, chi'n gweld, a doedd dim lot o amser 'da ni.

'O'n i'n dysgu Cwmrâg yn ddigon hawdd bryn 'ny – mam, tad, brawd, c'hoar, mae'r ddwy iaith yn eitha tebyg, chwel. Fel'na chi'n dysgu. Roedd tŷ gyda ni yng nghanol Llanelli, ar bwys y *Post Office*. Bydden ni'n dod drosodd ar y llong hwylie cyn y rhyfel a bydden ni'n amal iawn yn mynd yn sâl. Weithie os na fydde'r gwynt yn iawn fe alle fe gymryd wythnos i ni ddod i Abertawe.'

Wedi i ŵr Marie farw fe benderfynodd ei merch, Therèse a'i gŵr, Sebastien Prigent, ddod i Lanelli. Roedd 'Bastien wedi arfer mynd i Loegr, sy'n egluro pam mai ychydig o Gymraeg sydd ganddo, er mai acen Llanelli sydd i'w Saesneg. Does dim rhyw lawer gan Therèse 'chwaith – arwydd o bosib o fel y bu i dref Llanelli golli tipyn o'i Chymreictod yn ystod yr ugeinfed ganrif.

Yn nheulu Marie Le Goff yr oedd traddodiad o wragedd yn mynd drosodd gyda'i gwŷr. Eithriadau oedden nhw. Y gred oedd nad oedd amgylchiadau garw bywyd y Sionis yn addas i'r gwragedd. Beth bynnag, roedd yn rhaid i rywun aros gartre i ofalu am y tyddyn gan fod ychydig dir gan lawer ohonyn nhw er mwyn tyfu llysiau fel blodfresych, meirch ysgall a winwns, wrth gwrs. A gofalu am y plant. Y gwragedd yn fynych fyddai'n trefnu i anfon llwythi ychwanegol o winwns yn ystod y tymor gwerthu.

Prin iawn oedd y gwragedd a ddeuai gyda'i gwŷr cyn y Rhyfel Mawr ond cynyddodd y nifer wedi 1921 ac yn arbennig wedi'r Ail Ryfel Byd. Dyma'r niferoedd ddeuai drosodd yn ystod rhai o'r blynyddoedd – 1934 (49), 1955 (38), 1966 (49), 1970 (25), 1971 (15). Nid oedd, hyd y gwn, unrhyw adeg pan oedd eu nifer dros hanner cant. Eu gwaith oedd golchi, gwneud bwyd, glanhau'r stordy a rhaffu. Fydden nhw byth yn mynd o ddrws i ddrws yn gwerthu. Marie Le Goff oedd yr unig ddynes a glywais amdani'n gwerthu winwns.

Byddai plant Therèse a 'Bastien hwythau yn eu tro yn dod gyda'r teulu i Lanelli ond nid i weithio. Cael eu hanfon i Ysgol Gynradd Babyddol y Santes Fair oedd tynged Marie-Josie a Guy – dau dymor yn Llanelli ac un tymor yn Llydaw. 'Rwy'n cofio fel y bydden ni'n cael potelaid o laeth ganol y bore ac roeddwn i'n meddwl bod hynny'n neis iawn,' meddai Marie-Josie. 'Roedd bywyd dipyn brafiach erbyn ein hamser ni. Roedd car gyda Dadi, ddim beic fel oedd gan Mam-gu.

'Pan ddaeth yn bryd i ni fynd i'r ysgol uwchradd roedden ni'n gorfod aros yn Llydaw a dod drosodd at ein rhieni yn ystod y gwyliau. Hedfan o Sant Brieg i Jersey, aros yn hir yn Jersey ac wedyn hedfan ar awyren i Gaerdydd a bydde rhywun yn cwrdd â ni yno i fynd ymlaen i Lanelli. Yn Llanelli y bydden ni'n treulio'r Nadolig wedyn, yn wahanol i deuluoedd eraill y Sionis.'

Bu farw Marie Le Goff yn sydyn yn 1991; roedd hi tua 90 mlwydd oed. Fel yr oedd yn digwydd roeddwn drosodd yn Rosko yn gwneud rhaglen deledu i S4C ac i fod i'w chyfweld ar gyfer y rhaglen. Yn lle hynny bu raid bodloni i ffilmio'r angladd, a diwedd cyfnod. Bu farw Marie ar ddydd Sadwrn, rwy'n meddwl, ac roedd yr angladd ar brynhawn Llun. Cofiaf yr offeiriad yn dweud yn ei bregeth, 'Roedd Marie Le Goff mor enwog ac mor uchel ei pharch yng Nghymru fel pan glywson nhw am ei marwolaeth anfonodd y BBC griw drosodd ar unwaith i ffilmio'r angladd!' Fy nghof i yn ystod y munudau hynny oedd yr un ohoni'n canu 'Hen Fenyw Fach Cydweli' i mi ar gyfer rhaglen i Radio Cymru a recordiwyd ac a ddarlledwyd tua dwy flynedd cyn ei marw.

Rai blynyddoedd wedyn gwnaeth y gerflunwraig Ezzelina Jones, sy'n arbenigo mewn darlunio cymeriadau o'r dosbarth gweithiol, gerflun o Marie fel y cofiai hi ym marchnad Llanelli, het am ei phen a chôt fawr amdani a phentwr o winwns yn ei chôl. Arddangoswyd y gwaith gwreiddiol – cerflun efydd – am gyfnod yn Amgueddfa'r Sionis yn Rosko ac wedi hynny cyflwynwyd copi ohono i'r dref. Cofiaf yr ymateb cyntaf i'r gwaith. Roedd y rhai oedd wedi arfer gweld Marie yn ei gwisg Lydewig yn mynd i'r eglwys ar y Sul yn ystyried y gwaith ychydig yn chwithig, ond i'r rhai a welsant Marie Le Goff yn Llanelli yr oedd yn ddigwyddiad emosiynol a chofiaf ddagrau ei merch pan welodd hi'r gwaith am y tro cyntaf. Dagrau o syndod o weld portread mor gywir a dagrau o hiraeth am gyfnod a lle oedd mor agos at ei chalon. A dagrau o gofio'i mam. Cadwodd Therèse a 'Bastien gysylltiad â phobl yr ardal, yn arbennig y rheiny oedd â stondinau ym marchnad Llanelli. Hynny er iddyn nhw roi'r gorau i werthu winwns yn 1979. Byddaf bob amser yn galw i'w gweld pan fyddaf yn y cyffiniau ac yn fynych iawn yn cyfarfod Marie-Josie sy'n byw yn Brest ac weithiau Guy a fu'n beilot ac sydd mewn swydd uchel yn un o feysydd awyr mwyaf Ffrainc.

Diwedd cyfnod yng Nghaerdydd

Jimmy oedd Jean-Marie Cueff i bobl Caerdydd – Shamar i'w gyfeillion yn Lagat Vran a'i gyd-weithiwr oedd Olivier Bertevas. Pan ddeuthum i gysylltiad â nhw gyntaf ym mis Medi 1977 roedden nhw'n byw yn rhif 254 Bute Street, Caerdydd. Roedd hanner isaf y stryd enwog – pen y dociau – wedi ei chwalu a'i hailadeiladu ymhell cyn hynny, ac ychydig flynyddoedd wedyn y dinistriwyd y gweddill ohoni. Erbyn heddiw mae hyd yn oed eu hoff dafarn, y *Custom House*, hefyd wedi hen ddiflannu. Hen siop oedd 254, wedi'i chondemnio fel gweddill yr adeiladau o'i chwmpas; adeiladau a fu unwaith yn gaffis a siopau ond bellach gyda styllod dros y drysau a'r ffenestri a faluriwyd.

Roedd yn adeilad di-guro at eu dibenion nhw. Medrent gadw'r sachau winwns yn y siop a chysgu a choginio yn y stafelloedd cefn ac i fyny'r grisiau. Rai blynyddoedd ynghynt roedden nhw wedi llogi tŷ yn Adamsdown ond roedd hwnnw'n lletchwith oherwydd yr holl stafelloedd bach. Roedd arnynt angen un stafell fawr nid nifer o rai bach. Digon amrwd oedd y dulliau coginio yn y stafell gefn – stôf wersylla a chawl tatw, cig – a winwns! – yn ffrwtian arni. Y cawl hwnnw oedd swper o nos Lun tan nos Iau. Ar gyfer dydd Sul byddai cigydd lleol yn rhostio darn o gig iddyn nhw.

Yn ystod yr wythnos byddent yn codi am bump – 'bob amser yn effro am 4.30,' meddai Cueff, cig moch ac ŵy wedi ffrïo neu ŵy wedi ferwi i frecwast ac allan ar y ffordd cyn wyth. Fel arfer byddent yn ôl yn y siop; 'shap' oedd y gair ddefnyddien nhw hyd yn oed pan fyddent yn siarad Llydaweg. Llydaweg fydden nhw'n siarad gyda'i gilydd bob amser ac weithiau gen i pan fydden nhw wedi blino. Roedden nhw fel petaent yn hapusach yn siarad Saesneg na Ffrangeg. Byddent yn rhaffu o bedwar tan hanner awr wedi pump cyn mynd i'r *Custom House* am ddau beint. Rhaffu wedyn o chwech tan wyth cyn cael y swper o gawl ac allan am ddau beint i'r *Glendower* – tafarn arall a chwalwyd ers llawer blwyddyn – cyn mynd i'r gwely. Gan y byddent bob amser yn mynd am beint – dau beint i fod yn gywir – roedd yn amlwg eu bod yn yfed o leiaf chwe pheint y dydd, sy'n fy nharo i fel tipyn o ddiota, ond ddim yn ôl Cueff. 'Rwy'n yfed gormod nawr,' meddai Cueff. 'Fe yfa' i win drwy'r dydd pan fydda i adre, os ca'i lonydd. Mae'n lles i mi ddod i Gaerdydd – i yfed llai.' Honnai ei fod yn llwyr-ymwrthodwr nes ei fod yn 30 oed ond roedd yn anodd i unrhyw Sioni beidio ag yfed. Roedd cynhesrwydd a chysur a chyfeillgarwch mewn tafarn, yn wahanol i'r siop oer a llaith.

Daeth Olivier Bertevas i Gaerdydd am y tro cyntaf yn 1925. Roedd yn dilyn yn ôl traed ei dad a'i dad-cu. Cofiai fel y deuai'r llong hwyliau i fyny i ymyl y *Custom House* – y tolldy, nid y dafarn – hyd y *West Canal Wharf* sydd bellach wedi'i sychu a'i lenwi. Mewn warws yn Collingdon Road, stryd gyfochrog i Bute Street, y byddai'n byw ac yn cadw'r winwns. Weithiau byddai cynifer â deg neu ddeuddeg o ddynion yn cysgu wrth ymyl neu ar y sachau winwns yn y warws. Y winwns, bob tro, fyddai'n cael y stafell sychaf yn y lle. Doedd wiw i'r winwns wlychu a phydru! Cofiai fod lle tân yn y warws a byddent yn cyfnewid winwns am gnapiau o lo. Bu tad Olivier drosodd am y tro olaf yn 1939, ar ôl gwneud 55 tymor. Cafodd fyw i weld Olivier yn dychwelyd yn ddiogel o'r rhyfel a bu farw ychydig flynyddoedd wedyn. Prin oedd atgofion ei fab amdano nac am yr hyn glywodd gan ei dad. Ambell dro byddent yn hwylio o Perros Guirec mewn llong oedd yn eiddo i ddyn o'r enw Kervizec ond fel rheol hwylio o Rosko i Gaerdydd fydden nhw.

Daeth Jean-Marie 'Shamar' Cueff drosodd am y tro cyntaf yn 1919, yn naw oed. Ei dâl oedd 60 ffranc, rhent blwyddyn i'w fam ddi-briod, a phâr o sgidiau. 'Fedrwn i ddim gair o Saesneg, a 'chydig o Ffrangeg. Llydaweg oedd unig iaith fy mam. Cymryd dillad i'w golchi fyddai hi'n wneud a'u golchi yn yr afon. Wn i ddim pwy ar y ddaear oedd fy nhad.'

Byddai bob amser yn canmol y croeso a gafodd yng Nghymru. Yr unig brofiad chwerw a gofiai oedd adeg streic fawr 1926 pan geisiodd rhai pobl ddwyn ei winwns. Gan ei fod yn cario'r winwns ar ei gefn, *war ar vaz*, roedden nhw'n llythrennol yn ceisio dwyn winwns oddi ar ei gefn. 'A dweud y gwir, fe âi pobol â'ch dillad oddi ar eich cefn chi hefyd. Roedden nhw'n ddyddiau drwg,' meddai, 'ond roedd mwy o dda nag o ddrwg o gwmpas, hyd yn oed yn y cyfnod du hwnnw.'

Ym Mryn-mawr y dechreuodd Cueff. Bryn-mawr fu ei ganolfan am dros hanner canrif ac er mai yng Nghaerdydd y treuliodd ei flynyddoedd olaf yn gwerthu winwns, byddai'n parhau i ymweld â'r hen fannau a'i hen gwsmeriaid ym Mryn-mawr. Roedd Cueff wedi dechrau gweithio iddo'i hunan yn reit ifanc. 'Crafu byw drwy'r haf gan weithio'n galed ar y ffermydd er mwyn prynu winwns ar gyfer y tymor ym Mryn-mawr,' meddai. 'Osgoi prynu stecen heddiw er mwyn prynu rhagor o winwns fory.' Byw'n gynnil i grynhoi hynny o gyfalaf a fedrai o flwyddyn i flwyddyn.

Pan dorrodd yr Ail Ryfel Byd cafodd y ddau eu cymryd yn garcharorion yn 1940 ar y ffin rhwng Ffrainc a Gwlad Belg. Cafodd Cueff ei anfon i wersyll carcharorion yn Awstria a threuliodd weddill y rhyfel yn gweithio ar y tir. Yn wir, bron nad oedd yn canmol ei fyd. Ni ddioddefodd brinder bwyd, byddai hyd yn oed yn gwneud ei win ei hun. 'Roeddwn 29 pwys yn drymach ddiwedd y rhyfel nag oeddwn i yn 1940,' meddai. Heblaw hynny roedd merch yn Awstria oedd yn awyddus iawn iddo ei phriodi ond gan ei fod eisoes yn briod gyda gwraig yn Rosko, wnaeth e ddim.

Mynnai Cueff na fydden nhw byth yn gwneud dim gyda'r merched yng Nghymru. 'Roedden ni'n drewi o winwns a garlleg a fydde'r merched byth yn cymryd sylw ohonon ni,' meddai. Cefais stori wahanol gan Sebastien Prigent. Fwy nag unwaith roedd merch gyda phram yn disgwyl y cwmni pan ddychwelent ddiwedd Awst. 'Ble mae Jean (neu Jacques)? Drychwch be sy' gen i!' A Jean neu Jacques wedi penderfynu mynd yn Sioni yn y lle pellaf posib oddi yno.

Doedd Bertevas ddim mor fodlon ar ei gyfnod yn garcharor rhyfel. Treuliodd amser mewn ffatri arfau yn yr Almaen. 'Roedd y gwres yn llethol a'r cwbl a wisgem oedd trywsus cwta – roedd hi'n annioddefol,' meddai. Ymhen tipyn cafodd ei symud i weithio ar fferm a bu dipyn hapusach wedi hynny. Wnaeth y naill na'r llall ymdrech i ddianc. Doedd dim diben. 'Roedd rhai yn rhoi cynnig arni ond cael eu dal fu eu hanes yn ddieithriad,' meddai Bertevas. 'A phetaen ni'n llwyddo i ddianc fyddai dim yn ein haros ond cyfnod peryglus o guddio yn ein gwlad ein hun.' Roedd Bertevas yn 29 pan dorrodd y rhyfel a thebyg nad oedd yr awydd i wneud pethau arwrol mor gryf erbyn hynny. Roedd yn 34 pan gafodd ei ryddhau a phriododd yn fuan wedyn.

Daeth Bertevas drosodd am y tro cynta wedi'r rhyfel yn 1951 gyda chyfaill. Bu'r cyfaill hwnnw farw yn Ysbyty Dewi Sant ddwy flynedd yn ddiweddarach. 'Roedd yn diodde'n enbyd wrth bwysedd gwaed,' meddai Olivier. Daeth gwraig Olivier a gwraig y Sioni drosodd ychydig cyn iddo farw. 'Roedd ei wraig yn awyddus i fynd â'i gorff yn ôl i'w gladdu yn Llydaw ond doedd dim modd trefnu hynny,' meddai. 'Roedd gen i ddwy dunnell o winwns ar ôl ac fe werthais dunnell i Sioni arall yng Nghaerdydd a'r llall i Sioni ym Maesteg. Wedi hynny bu Olivier yn cyd-weithio gyda'i frawd-yng-nghyfraith, Vincent Cabioch, hwnnw a laddwyd pan lithrodd wrth ddod oddi ar y llong yn Rosko ym mis Ionawr 1973 a syrthio ar y creigiau rhwng y llong a'r cei. Oddi ar hynny Shamar Cueff fu ei 'fyti'.

O'r Sionis i gyd mae'n debyg mai Cueff a Bertevas oedd y ddau y deuthum i'w hadnabod orau – fel Sionis yng Nghymru, yn sicr. Roedd rhyw ddycnwch penderfynol yn perthyn i Olivier. Fyddai e byth yn dychwelyd i'r siop heb werthu pob rhaff, na 'chwaith yn gostwng ei bris ac roedd e bob amser yn awyddus i arbed gwario'r un geiniog yn fwy nag oedd angen. Cofiaf glywed y ddau yn cweryla'n wyllt am fod Cueff wedi prynu gwellt wrth ryw ffermwr tua Phen-y-bont ar Ogwr er mwyn rhaffu'r winwns. Roedd hi wedi bod yn glawio'n drwm, y corsydd dan ddŵr a dim brwyn yn unlle ond ar y mynyddoedd. Bertevas ymddangosai y mwynaf o'r ddau a Cueff oedd y parotaf i ddweud ei feddwl ac ymffrostio mewn campau o gryfder – fel cario tair sachaid o winwns ar ei gefn. Eto, Cueff fyddai'n canu pwt o faled neu gân werin. Anghofiai'r geiriau, yna deuai pwt arall i'w gof. 'Maen nhw wedi boddi i lawr yna,' meddai gan roi ei law ar ei galon. 'Wedyn maen nhw'n dod 'nôl; maen nhw'n rhan o 'nghyfansoddiad i.' Byddai ei fam yn canu'r hen ganeuon iddo pan oedd yn blentyn. 'Ac yn yr hen ddyddiau pan oedden ni'n gwmnïau mawr ac yn rhaffu winwns fe fydden ni'n canu hen ganeuon Llydewig ein bro.' Canodd bwt o faled am suddo'r *Titanic* ac o chwedl *Ker Is* i mi. 'Dydw i'n hidio dim am y caneuon newydd sy'n dod allan o'r *transistors* yma,' meddai. Soniodd am drychineb yr *Hilda*, er mai 'chydig iawn a wyddai am y digwyddiad – doedd ganddo ddim syniad hyd yn oed pryd y suddodd y llong ond roedd yn ddigon o arweiniad i'm rhoi ar drywydd y trychineb mwya yn hanes y Sionis.

Soniodd am longau fel *L'Herman* a *L'Oceanic* yn hwylio â winwns o Rosko i Gaerdydd ac yn dychwelyd i Lydaw yn llwythog o lo Cymru. Byddent yn hwylio i fyny'r *West Canal Wharf*, y winwns yn cael eu dadlwytho oddi ar y llong i'r trên ac ar y trên i Fryn Mawr. Ym Mryn Mawr arferai logi ceffyl a chert i fynd â'r winwns o gwmpas yr ardal. Un noson roedd ef a chyd-weithiwr yn dychwelyd tua hanner nos gyda cheffyl a chert pan ddaeth rhywun yn slei y tu ôl iddyn nhw a dwyn un o'r pastynau oedden nhw'n ddefnyddio i gario'r winwns. Wedyn dyma fe'n taro dyn arall oedd yn cerdded gydag e. 'Roeddwn i'n amau ei fod wedi ei ladd,' meddai Cueff. 'Fe aethon ni o'na am ein bywydau ond mae'n rhaid ei fod e'n iawn achos chlywson ni byth fod neb wedi ei ladd yn y cyffiniau y noson honno.'

Dywedodd Olivier y byddai'n arfer defnyddio cert llaw i werthu winwns o gwmpas Caerdydd nes iddo amau fod rhywrai yn dwyn ambell reffyn oddi arni. Byddai'n gadael y gert ar gornel y stryd ac yna'n mynd â llwyth ar y pastwn, *ar vaz*, o dŷ i dŷ. Roedd y beic yn fwy hwylus a gallai gadw hwnnw wrth law drwy'r amser fel na fyddai temtasiwn na chyfle i neb ddwyn ei winwns.

Gwisgai Olivier glocs am ei draed gyda'r nos a hen slipars y tu mewn i'r clocs. Byddai'n llusgo'i draed ar y palmant wrth gerdded tua'r *Custom House*. Ymddangosai'n flinedig, ond dyna'r unig ffordd o gerdded mewn clocs. Yn y dafarn byddai Olivier, fel oedd yn arferol yn nhafarnau'r dosbarth gweithiol yng Nghaerdydd, yn yfed y cwrw tywyll – *Brains Dark*. Yfed cwrw *keg* o'r enw *Tudor*

Light, a hynny gan gwyno, wnâi Cueff. Nid oedd wedi dod i arfer â chwrw Caerdydd. Daliai i sôn am gwrw *Rhymney & Crosswells*, cwmni a lyncwyd flynyddoedd yn ôl gan un o'r bragwyr mawr.

Erbyn hyn doedden nhw byth yn mynd i'r eglwys ar y Sul. 'Beth bynnag, dwi ddim yn meddwl y byddai'r gynulleidfa yn gwerthfawrogi dau ddyn yn arogleuo o winwns a garlleg yn eistedd yn eu canol,' meddai Cueff wrthyf un tro. Wedi wythnos o ymlafnio a rhewi ar gornel stryd roedd yn ormod o demtasiwn i aros yn y cynhesrwydd a cheisio bwrw'u blino. Yr unig wahaniaeth rhwng y Sul ac unrhyw ddiwrnod arall oedd na fydden nhw'n mynd allan i werthu. Roedd digon o waith rhaffu a bydden nhw'n cael peint neu ddau yn y *Glendower* cyn mynd i nôl eu cig rhost oddi wrth y cigydd. Yr unig ddydd y byddent yn mynd i'r eglwys oedd Dygwyl y Meirw. Mynd i'r eglwys yn y bore a dim gweithio am weddill y dydd. Er ei fod yn cyfaddef nad yw treulio diwrnod yn segura ac yfed mewn tafarn y ffordd orau o gofio'i hynafiaid!

Doedd gen i fawr o syniad faint o elw oedden nhw'n wneud. Ambell ddydd byddai'r naill neu'r llall yn dweud iddo werthu 80 o raffau, am bunt yr un bryd hynny. Byddai un wedi derbyn, ar ddiwrnod da, £80 felly. Rhent yr hen siop yn y Bute Street oedd £4 yr wythnos; roedd wedi costio £300 i ddod â'r lori a'r winwns drosodd, byddai'n rhaid talu £6 y tunnell o dreth mewnforio. Cofiaf Cueff yn dweud wrthyf iddo drosglwyddo £5,000 o'r banc yng Nghaerdydd i fanc yn Kastell Paol tua chanol Tachwedd. Roedd y llwyth nesa ddiwedd y mis wedi costio £1,300 iddynt a £400 i ddod ag e drosodd. Drwy fod yn garcus a gweithio'n galed yr oedd yn amlwg eu bod yn gwneud elw da. Hynny er bod gwerth y bunt, gyferbyn â'r ffranc, yn isel ar y pryd. Eto, fel rheol, prynu winwns gan farchnatwr fydden nhw bryd hynny, yn hytrach na mynd o gwmpas y ffermydd i'w prynu'n uniongyrchol.

Soniodd am ddau ddyn o'r enw Butt a Morson a arferai ofalu am drefniadau bancio a chyfnewid arian i'r Sionis. Ond roedd yn amlwg nad oedden nhw'n gwbl sicr eu bod yn cael y gwasanaeth gorau posib gan y dynion hynny. Buan y dysgodd y Sionis sut i wneud trefniadau drostynt eu hunain.

Er eu bod yn byw'n dlawd yng Nghaerdydd, adre yn Llydaw

roedd ganddyn nhw dai braf a gerddi mawr. Datgelodd Cueff wrthyf ei fod wedi gorffen talu am ei dŷ ers pum mlynedd ond yng Nghaerdydd roedden nhw'n cyfri pob ceiniog. Un noson gelwais yn y siop yn Bute Street ac ar yr olwg gyntaf roedd y lle'n dywyll fel y fagddu. Edrychais drwy'r twll, lle bu unwaith glo, a gweld llygedyn o olau'n dod o'r stafell gefn. Cnociais ac yn y funud gwelais Olivier yn dod drwy'r tywyllwch at y drws. Yr unig olau oedd cannwyll wedi'i gwthio i hen botel win. Eglurodd Olivier fod dyn o'r Bwrdd Trydan wedi dod heibio rai dyddiau ynghynt a chanfod nad oedd *meter* yn y siop. Cytunwyd i'r dyn alw y bore hwnnw am ddeg o'r gloch i ail-gysylltu'r trydan. Am bum munud wedi deg doedd e ddim wedi cyrraedd, felly bant ag Olivier i werthu winwns. Pan ddaethon nhw'n ôl yr oedd nodyn yn dweud i'r dyn trydan alw am chwarter wedi deg, felly roedd y trydan yn dal heb ei ail-gysylltu. Beth bynnag, roedden nhw'n dychwelyd i Lydaw ymhen ychydig ddyddiau ac fe wnaen nhw setlo'r cwbl wedi dod 'nôl i Gaerdydd.

Feddyliais i ddim mwy am y peth nes i fyfyrwraig o'r enw Celine Habasque y bûm yn ei helpu gyda thraethawd ymchwil am y Sionis ddweud wrthyf ei fod yn hen dric ganddyn nhw i gysylltu'r siop neu'r stordy yn anghyfreithlon i'r trydan – neu nwy – ac i'r dŵr. Os bydden nhw'n ffodus roedd yn bosib y bydden nhw wedi bod ym Mhrydain am chwe mis a dychwelyd cyn i'r awdurdodau ddod o hyd iddyn nhw! Felly golau cannwyll a golau o'r tanllwyth tân yn y grât – glo wedi'i gyfnewid am winwns – oedd yr unig olau yn y siop am y dyddiau nesaf. Tebyg iddynt ail-gysylltu'r trydan yn anghyfreithlon wedi dod 'nôl i Gaerdydd bythefnos yn ddiweddarach!

Fisoedd wedyn euthum i weld y ddau yn eu cartrefi yn Llydaw – y ddau yn twtio o gwmpas eu gerddi ac eto ryw olwg aflonydd, hiraethus arnyn nhw. 'Rwy'n siŵr y buasai Olivier yn ddigon parod i fynd drosodd i Gaerdydd petawn i ond yn cytuno i fynd gydag e,' meddai Cueff. 'Rwy'n siŵr fod Shamar yn ysu am fynd drosodd, petawn i ond yn cytuno i fynd gydag e,' meddai Bertevas. Rwy'n amau bod y ddau yn hiraethu am Gaerdydd a Chymru y funud honno, ond daw terfyn ar bopeth rywbryd.

Un peth am Cueff oedd yn bwnc trafod a difyrrwch i Sionis

eraill flynyddoedd yn ddiweddarach oedd y byddai'n llogi tacsi i fynd i werthu winwns i'w hen gwsmeriaid. Cadw'n glòs o fewn ffiniau Caerdydd gyda'i feic y byddai Olivier – weithiau yn y gorffennol byddai'n mynd â'i feic a'i winwns ar y trên – ond anaml y mentrai ymhell o sŵn clychau dinas Caerdydd.

Nid felly Jean-Marie Cueff. Arferai logi tacsi am deirpunt yr awr a bant ag e i gyffiniau Bryn-mawr. Ddiwrnod arall byddai'n mynd yn y tacsi i Fargoed, Ystrad Mynach a Chaerffili. Meddyliais lawer tro beth fyddai cwsmeriaid y gyrrwr tacsi yn ei feddwl drannoeth i un o'r teithiau hyn – y seddau'n arogleuo o winwns a garlleg, heb sôn am y brwyn a'r plisgyn winwns ar y llawr ac ar y seddau. Feiddiais i erioed ofyn i Cueff na'r dyn tacsi. Wedi i Cueff a Bertevas roi'r gorau i'r busnes fe geisiodd y dyn tacsi a ddefnyddiai Cueff ddechrau busnes mewnforio winwns Rosko i Gaerdydd. Wn i ddim faint o lwyddiant a gafodd e ond fe gadwodd gysylltiad â mi a chanddo fe y cefais y newydd am farw Shamar ac Olivier flynyddoedd yn ddiweddarach.

O Wimbledon i Borthmadog

Unwaith y cefais y cyfle am sgwrs gyda Claude Deridan – ym mis Medi 1978. Gelwais droeon yn ei dŷ mewn cornel o Rosko ar ochr ddwyreiniol yr hen borthladd a elwir yn Pen Al Leur ond doedd e byth adre. Yna, un diwrnod, fe'i gwelais yn eistedd gyda dau hen Sioni arall – un yr oeddwn wedi dod i'w adnabod yn dda. I Wimbledon yr aeth Deridan i werthu winwns gyntaf yn 1920. Yr oedd yn 16 oed ac, yn ôl ei dystiolaeth ei hun, yn medru ychydig iawn o Ffrangeg a dim Saesneg. Cyn hynny bu'n was fferm yn Rosko. Ymsefydlodd yn hapus a hawdd yn Wimbledon a bu mwy nag un o'i blant drosodd gydag e yn nhymor y gwerthu.

Wedi'r Ail Ryfel Byd penderfynodd roi cynnig ar ardal arall a phenderfynodd yn 1948 fynd i Borthmadog. Bu ei dad o'i flaen yn gwerthu ym Mhorthmadog ac yn ôl Claude roedd yn rhugl ei Gymraeg. Am flynyddoedd arferai hwylio'n uniongyrchol o Rosko i Borthmadog er iddo yntau yn ei flynyddoedd olaf ddod â lori drosodd ar y fferi o harbwr newydd Rosko i Plymouth. Nid oedd ganddo lawer iawn o Gymraeg – digon at anghenion sylfaenol gwerthu.

'Sut 'dach chi?'

'Da iawn.'

''Dach chi isio nionod?'

'Dim isio heddiw, digon i gael, dewch tro nesa. 'Dach chi isio paned o de?'

'Dwi isio dim. Cael un tro nesa.'

Roedd ganddo ddigon o Gymraeg un adeg, serch hynny, i gael ei ffilmio'n crwydro o gwmpas Pen Llŷn gyda'i feic a'i winwns gan *Heddiw,* rhaglen ddyddiol BBC Cymru. Credaf fod mwy o Gymraeg gan un o'i gydweithwyr, Jean Guivarch, ond dyn swil iawn oedd y Guivarch hwnnw ac ni lwyddais erioed i gael sgwrs ag e.

Cartref Claude Deridon ym Mhorthmadog oedd rhif 7, Pen-cei. Yno y treuliodd ei dymhorau yng Nghymru a lle bu'n rhaffu winwns yn yr awyr agored ar y cei ar nosweithiau braf o Fedi. Fel y tystiai nifer o luniau a welais ganddo yr oedd yn ŵr poblogaidd yn y dref. Dangosodd lun i mi ohono'i hun yn gorymdeithio gyda'r Cymry drwy Borthmadog ar Ddydd y Cadoediad.

Mae'n debyg y bu gan Sionis Porthmadog ganolfan arall yn yr ardal, sef yr hen dŷ yn Nhremadog lle ganed T.E. Lawrence. Yno yr un pryd â nhw, yn ôl a ddywedwyd wrthyf, oedd stiwdio'r arlunydd a'r cerflunydd Jonah Jones.

* * *

Mae'n fater o ddadl i ba raddau yr oedd y Sionis yn medru sgwrsio gyda'r Cymry oherwydd tebygrwydd y Gymraeg a'r Llydaweg. Taerodd cyfaill o dde Ffrainc, peilot a fu'n hedfan hofrenyddion o Fryste, iddo glywed pysgotwyr o Gymru a Llydaw yn cyfathrebu â'i gilydd. Roedd cwch o Lydaw mewn trafferth oddi ar arfordir Cernyw ac roedd cwch pysgota o Gymru wedi cyrraedd yr un pryd ag e yn ei hofrennydd. Taerai fod y Cymry a'r Llydawiaid yn cyfathrebu â'i gilydd mewn iaith nad oedd na Saesneg na Ffrangeg. 'Rwy'n gwybod oherwydd roedden nhw'n defnyddio fy radio i a doeddwn i ddim yn deall gair o'r hyn roedden nhw'n ddweud.'

Yn 1985 rwy'n cofio ymchwilydd o Adran Addysg y BBC yn Llundain yn gofyn a fedrwn wneud trawsgript a chyfieithiad o sgwrs rhwng Sioni Winwns o'r enw Jean Le Roux a rhai o drigolion Cenarth. Hyd y gwn, mae Le Roux yn dal i werthu winwns yn ardal Highbury yn Llundain. Cytunais i roi cynnig ar y gwaith ond pan ddaeth y tâp roedd y gwaith yn llawer haws nag yr oeddwn wedi'i ddisgwyl. Ychydig o Lydaweg oedd yn y sgwrs, Cymraeg oedd y rhan fwyaf ac roedd Jean Le Roux yn ymdopi'n ardderchog yn y Gymraeg.

Yr hyn oedd yn ddiddorol oedd na fu Jean Le Roux erioed yn gweithio yng Nghymru ac eto roedd ganddo ddigon o Gymraeg i werthu winwns – mwy na hynny, yn wir. Roedd yn medru cynnal sgwrs – arwynebol ond a oedd yn fwy na chyfathrebu elfennol. Wyth mlynedd yn ddiweddarach euthum i ymweld â Jean yn ei gartref ar gyrion Kastell Paol. Bûm yn ceisio cael ar ddeall ganddo sut y medrai gymaint â hynny o Gymraeg ac yntau erioed wedi bod yng Nghymru. Doedd ganddo fawr i'w ddweud am y peth nes i mi sôn am y gwerthwyr llaeth o ganol Ceredigion a fu ar un adeg yn niferus yn Llundain. Daeth fflach o oleuni i'w lygaid a deellais wedyn iddo gyfarfod llawer o Gymry alltud o Geredigion - pobl y *Palmant Aur*.

Rwy'n amau iddo dwyllo cynhyrchwyr y rhaglen ac rwy'n ofni i minnau fod yn euog o'i gynorthwyo ychydig bach! Mae'n ymddangos felly, yn ôl y dystiolaeth gamarweiniol a geir mewn cyfrol o'r enw *The Story of English* a gyhoeddwyd gan y BBC a Faber & Faber yn 1986 ac a seiliwyd ar y gyfres deledu honno.

* * *

Cefais brofiad nid annhebyg wrth sgwrsio gydag hen Sioni o'r enw Alan Castell a fyddai'n mynd i Lerpwl. Mewn caffi o'r enw *Bar des Johnnies* sydd ar y ffordd o Eglwys y Forwyn Fair Croaz Vaz i gyfeiriad Kastell Paol y cyfarfu'r ddau ohonom. Roedd Alan Castell yn hen ŵr musgrell ac yn llusgo ar draws y stafell gyda ffon ym mhob llaw ond roedd ei feddwl a'i leferydd yn ddigon chwim. Roedd ganddo grap lled dda ar y Gymraeg er na fu yntau erioed yng Nghymru. 'Fe fyddwn i'n gwerthu winwns yn gyson i'r Athro Cymraeg ym Mhrifysgol Lerpwl cyn yr Ail Ryfel Byd. Fedra i ddim cofio'i enw ond rwy'n cofio ei fod e'n byw yn Crosby,' meddai.

Arferai Castell fynd â'i deulu gydag e. 'Fe fydden ni'n mynd yn ôl i'r un tŷ yn Formby,' meddai. 'Byddai'r ferch yn mynd i'r ysgol yn Lerpwl.'

Fel yn hanes nifer o'r Sionis bu dyddiau cynnar yr Ail Ryfel Byd yn rhai helbulus iddo. 'Bu raid i ni ddychwelyd ar unwaith a bu raid i mi werthu fy winwns ar golled fawr – fe gollais y cyfan.' Tynnodd ddarn ffranc o'i boced. 'Dyna'r cwbwl oedd gen i pan ddes i gartre.'

Bu'r cyfnod wedi'r rhyfel yn arbennig o galed i lawer o drigolion ardal Rosko. Ar un adeg bu Castell a Sioni arall yn hel gwymon oddi ar y traethau i'w werthu i'r ffermwyr. Byddai pob un yn gwneud mwy nag un swydd. 'Rwy'n cofio gweithio bron drwy'r nos yn llwytho llongau. Yna'n cipio awr neu ddwy o gwsg cyn mynd allan gyda'r wawr i weithio yn y caeau. Heblaw hynny byddem yn helpu i atgyweirio'r porthladd ar ôl difrod y rhyfel.'

O Gymru i'r Alban

Naw oed oedd Pierre Guivarc'h pan ddaeth gyda'i dad am y tro cyntaf i Gymru. 1921 oedd hi ac i Abertawe yr hwyliodd. Ac i Abertawe y daeth am y deunaw mlynedd nesaf gan hwylio bron bob blwyddyn o Rosko mewn llong o'r enw *Iris*. Suddodd yr *Iris* flwyddyn neu ddwy cyn yr Ail Ryfel Byd pan aeth i lawr gyda llwyth o lo ger Enez Vaz ar ei ffordd i mewn i Rosko. 'Byddai tua trigain ohonom yn dod drosodd ar longau hwyliau i Abertawe, tair neu bedair o longau'n dod gyda'i gilydd,' meddai.

Roedd ganddo hoffter mawr o'r Cymry a chefais glywed rhes o ymadroddion Cymraeg ganddo.

'Winwns, musus?'

'Faint y'n nhw?'

'Hanner coron.'

'Cer gartre'r diawl/Ti ishe dishgled o de?/Ti ishe bara menyn?/Ti ishe cig moch a bara menyn?/Dim heddi, galwch fory.'

Cofiai hefyd gyfnodau pan nad oedd pethau'n fêl i gyd. Dyna gyfnod y *Buy British* yn 1932 a effeithiodd dipyn ar y Sionis. 'Wnâi rhai pobol ddim edrych arnon ni ond roedd y mwyafrif yn derbyn y ffaith ein bod ni yng Nghymru a bod gwaith 'da ni i'w wneud. Ac mi fydden nhw'n prynu. Wedyn, dyna adeg y Streic Gyffredinol pan oedd byw'n galed a doedd pawb ddim yn falch o'n gweld ni.

'O, fe fedren ni wneud yn rhagorol gyda'r Cymru. Ond dyna fe, Cymry ydyn ni i gyd, neu Frythoniaid o leia. Unwaith erioed y ce's i drafferth. Roeddwn i'n naw oed ac yn yfed fy nghawl ar y Strand yn Abertawe pan ddaeth plismon ata i. Rwy'n cofio'n iawn mai un o Fforest-fach oedd e. Fe ddywedodd e 'mod i llawer rhy ddrwg ac yn llawer rhy echon am blentyn naw oed. Fe fues i'n un bach digon *cheeky*, ond fues i erioed yn fachgen drwg.'

Yn Abertawe yr oedd Pierre pan dorrodd yr Ail Ryfel Byd a chafodd orchymyn, yr un fath ag Alan Castell a Joseph Olivier a phob un arall, i ddychwelyd ar unwaith i ymladd. Roedd brawd iau ganddo a oedd yn rhy ifanc i fynd i ryfel a hwnnw arhosodd i geisio gwerthu hynny oedd yn weddill o'r winwns. Syrthiodd Ffrainc bron yn syth a daliwyd Pierre yn garcharor rhyfel ger Dunkirk. Treuliodd flynyddoedd y rhyfel yn garcharor yng nghyffiniau Breslev yng Ngwlad Pŵyl. Dysgodd Almaeneg a Phwyleg yn rhugl ac fe'i defnyddiwyd fel cyfieithydd.

'Byddai'r Almaenwyr yn dweud wrtho i y bydde Churchill yn carthu'r stablau yn yr Almaen wedi'r rhyfel. "Mae'n fwy tebyg y bydd Hitler yn torri glo ym mhyllau de Cymru," atebwn inne. Doedden nhw ddim yn leicio hynny.'

Roedd yn amlwg fod Pierre yn ieithydd ardderchog. Un gyda'r nos roedden ni'n sgwrsio yn un o gaffis Dossen – ar gyrion Dossen yr oedd yn byw – pan aeth yn ddadl ffyrnig rhyngddo a myfyriwr ifanc a oedd yn gweini y tu ôl i'r bar. 'Pa werth sy' mewn siarad Llydaweg, hen iaith farw?' meddai'r myfyriwr. 'Mae'n llawer callach dysgu iaith mae llawer o bobol yn ei medru.'

'A pha ieithoedd wyt ti'n fedru?' meddai Pierre. 'Ffrangeg – ac Almaeneg,' atebodd y myfyriwr.

'O, fe gawn ni sgwrs mewn Almaeneg 'te,' meddai Pierre, a dyma raeadr o Almaeneg yn llifo o'i geg. Roedd y bachgen wedi'i syfrdanu. 'Wyt ti'n medru Almaeneg cystal â hyn'na?' meddai'r hen Sioni yn Ffrangeg. Roedd yn amlwg nad oedd.

'Ac mi ddyweda i wrtho ti pam 'mod i'n medru cynifer o ieithoedd. Wnes i erioed anghofio fy iaith gyntaf – Llydaweg. Rwy' i wedi siarad yr iaith bob dydd – heblaw am flynyddoedd y rhyfel – yma yn Dossen neu yn y stordy pan o'n i'n Sioni.'

Wedi'r rhyfel ni ddychwelodd Pierre i Abertawe. Aeth am flwyddyn i Newcastle-on-Tyne ond doedd e ddim yn gysurus ymhlith y Geordies ac aeth i Aberdeen. 'Fe ddes i 'mlaen yn rhagorol gyda nhw – roedd yr Albanwyr a'r Cymry cystal â'i gilydd. Rwy'n cofio, pan oeddwn i'n Abertawe, 'mod i'n gwerthu winwns i Athro yn y brifysgol, Llydawr – Diveres oedd ei enw. Pan es i Aberdeen fe gwrddais â'i fab oedd yn ddarlithydd yno.' Mae'r enw Diveres yn adnabyddus ac roedd y gŵr yn ysgolhaig Celtaidd o fri.

Yn Aberdeen y bu Pierre nes iddo roi'r gorau i werthu yn 1974. Bryd hynny roedd yn ŵr ifanc yr olwg ond cwynai am ei goesau a glwyfwyd yn ddrwg yn y rhyfel.

* * *

Mae'n anodd credu, ond mae'n ffaith y bu unwaith Sioni Winwns a deithiai bob cam i werthu winwns ar Ynysoedd Orkney a Shetland. Pan ddechreuodd Joseph Corre fynd yno gyda'i dad yn 1925 nid oedd ond 13 oed. Er hynny roedd yn brofiadol ac wedi bwrw'i brentisiaeth mewn dwy flynedd o werthu yn Aberdeen. Yna, yn 1925, penderfynodd ei dad, a fu am 48 o dymhorau yn gwerthu ar yr ynysoedd, ei bod yn bryd i'w fab ddod i adnabod cwsmeriaid yr ynysoedd pell hynny. Gyda saith neu wyth o fasgedi mawr – pob un yn dal 260 kilo o winwns, aeth gyda'i dad i Kirkwall a Stormness ar Pomona, ynys fwyaf Orkney. Y drefn oedd treulio mis a hanner yn gwerthu yno, ac yna'n ôl i Aberdeen ac ymaith ar y fferi unwaith eto gyda llwyth arall – i Lerwick ar brif ynys Shetland y tro hwn, lle treuliai'r mis canlynol.

'Byddwn i'n cadw fy winwns yn yr un stordy â'r Sionis fyddai'n dod i Aberdeen,' meddai. 'Roedd yno ddyn a fyddai'n rhaffu i mi yn unig. Dim ond dwywaith mewn tymor y byddwn yn mynd heibio fy nghwsmeriaid a phan awn i lawr y strydoedd byddai pobol yn dod o'u tai ac yn rhedeg ar fy ôl i. Doedd dim cystadleuaeth o gwbl gen i, felly roeddwn yn medru codi mwy na'r Sionis eraill am y winwns. Rwy'n cofio bod 25 ohonom ni yn yr un cwmni yn Aberdeen yn 1935 a 400 tunnell o winwns rhyngom ni. Ond fi oedd yr unig un oedd yn mentro i'r ynysoedd.

'Byddwn i'n cychwyn o Rosko ym mis Gorffennaf ac yn cyrraedd adre rywbryd o gwmpas y Nadolig, er, rwy'n cofio i mi dreulio Hogmanay fwy nag unwaith ar yr ynysoedd.'

Medrai ymfalchïo iddo werthu winwns yn John O'Groats a chofiai groesi o Thurso i Stromness mewn tywydd mawr. Un arall o'i atgofion oedd darllen papur heb olau am hanner nos yn Shetland.

Pan dorrodd yr Ail Ryfel Byd arhosodd ei dad am ychydig yn Aberdeen i werthu hynny o winwns oedd yn weddill tra dychwelodd Joseph i Lydaw. Bu'n garcharor rhyfel am bum mlynedd yng nghyffiniau Hamburg. Wedi'r rhyfel ni ddychwelodd i'r ynysoedd, na chwaith i werthu winwns. Ymroes i wneud bywoliaeth ar ei fferm fach uwchben y môr yn Pen-al-lan, uwch yr aber sy'n cyfeirio tua Montroulez (Morlaix). Mae'r fferm ar yr ochr dde ar y ffordd i lawr i'r *Jardin Exotique*, un o atyniadau bach difyr Rosko.

Dyn bychan, tenau, gwydn oedd Joseph Corre. Siaradai Saesneg gydag acen Albanaidd gref pan soniai am ginio a swper o *'Beef 'n' tatees'* ac amser te, *'copotee 'n' a biscuit'*. Roedden nhw i gyd wedi coleddu arferion Prydeinig, arferion y daethon nhw'n ôl gyda nhw i Lydaw – y te prynhawn, te cryf iawn heb ddim llaeth ac yn aml yn cynnwys joch dda o win coch! Siaradai fel ffatri am *Sgotland*, gan roi ynganiad drom i'r 'g'. Mae yntau, fel cynifer o'r hen gyfeillion, wedi'n gadael ers blynyddoedd bellach.

* * *

Mae'n hawdd deall pam mae'r Sionis mor hoff o'r Cymry. Gan eu bod nhw i gyd yn y gorffennol yn medru Llydaweg roedden nhw'n amlwg yn gartrefol ymysg Cymry ac yn ymwybodol o gysylltiad ieithyddol ac o orffennol cyffredin. Yn ôl a ddywed Celine Habasque, roedd canran uchel yn mynd i Gymru, o ystyried maint a phoblogaeth Cymru.

Roedd yr Alban, hefyd, yn agos at galon sawl hen Sioni y deuthum i'w hadnabod yn dda, er, yn ôl Celine, ni ddechreuodd y Sionis fynd i'r Alban tan 1902. Os yw hynny'n gywir – ac yn sicr mae'n groes i dystiolaeth Joseph Corre – bu'r twf ym masnach y

Sionis yn sydyn iawn yno ar ôl hynny. Dynion o dre Rosko, neu'n agos iawn i dre Rosko, oedd Sionis yr Alban. Yn ddieithriad roedden nhw'n ymwybodol ac yn falch o gysylltiadau hanesyddol y dre â'r Alban. Glaniodd Mari Stuart yno yn 1548 ac yno y daeth Bonnie Prince Charlie wedi brwydr Culloden. Mae'r Sionis – fel trigolion Rosko yn gyffredinol – yn ymfalchïo yn yr *Auld Alliance*. Ardal Santec a Dossen oedd bro Sionis Cymru; o dre Rosko y deuai Sionis yr Alban.

Un o'r dynion mwyaf teyrngar i'r Alban oedd Sioni bach o'r enw Claude Corre – gallai fod yn berthynas i Joseph a arferai fynd i Orkney a Shetland. Doedden nhw ddim yn annhebyg. Claude, rwy'n meddwl, oedd yr unig Sioni llwm ei fyd i mi ei gyfarfod erioed. Roedden nhw i gyd wedi'u geni'n dlawd, wedi dal ati, cyn ymddeol i dai cyfforddus at ddiwedd eu hoes. Ond fflat ddigon llwm yn Rue Jules Ferry oedd gan Claude Corre, neu 'Peta Claude' fel y gelwid ef yn yr Alban a chan hen Sionis eraill yn Rosko. Roeddwn wedi cael fy nghyflwyno iddo gan ryw Sioni arall a chefais groeso i fynd i fyny i'w fflat am sgwrs, ac roedd ganddo lwyth o wybodaeth a deunydd. Treuliais lawer prynhawn yn ei gwmni – dim ond i mi fynd â photel o win, roedd digonedd o groeso. Ar ddrws ei fflat roedd darn o dartan a'i enw ar ei draws. Tynnodd focs pren o'r cwpwrdd a'i agor ac estyn toriad o bapur newydd o'r Alban. Arno roedd llun ohono'n sefyll gyda rhaff o winwns rhagorol am ei wddf a hynny o flaen llun o Robert Burns. Sylwais ar rai o linellau'r erthygl o dan y llun:

> *The strangest most warm-hearted tribute to Rabbie Burns comes from a stocky little 'Ingan Johnnie' who believes with all his heart in the 'Auld Alliance'. He boasts that he has sold onions to four generations of one family in Cellardyke in Fyfe. 'After France, Scotland is ma country and Glesca's ma toon'.*

Aeth y stori rhagddi i egluro mai Peta-Claude oedd gwestai arbennig cymdeithas leol a elwid yn *Our's Club* ac iddo ganu ei gyfieithiad Llydaweg ei hun o *Ye Banks and Braes*. Roedd ganddo lun arall, doniol, ohono ef yn fachgen bach gyda'i dad ac un o'u cwsmeriaid llewyrchus.

Yr oedd yn ddiamau yn edmygwr o bopeth Albanaidd, Robert

Claude Deridan yn gorymdeithio gyda'r Cymry ym Mhorthmadog ar Sul y Cadoediad.

Deridan ac un o'i weithwyr ar gefn eu beiciau llwythog ym Mhorthmadog. Fydden nhw ddim yn arfer reidio beiciau llwythog fel hyn – dim ond i blesio tynwyr lluniau papurau newydd!

Guillaume Le Duff (ar y chwith), Olivier Bertevas (canol) a Vincent Cabioch yn mwynhau Brains Dark yn y Custom House, Caerdydd.

Cwmni yng ngogledd Lloegr.

François Keriven yn gwerthu winwns yn yr eira yn Leeds.

François Keriven (chwith) gydag un o'i gyd-weithwyr a'i fan yn Darlington.

Heddiw mae llawer o Sionis yn gwneud busnes da yn gwerthu i siopau a thai bwyta a chaffis yn ogystal ag o ddrws i ddrws.

Llong hwyliau llawn Sionis yn cyrraedd porthladd Poole yn y cyfnod rhwng y ddau ryfel.

Jean-Marie Prigent, a arferai werthu winwns ym Mryste, ger ei gartref ar gyrion Kastell Paol.

Paul Caroff yn Poole.

Y trychineb mawr – suddo'r Hilda *yn 1905 pan foddwyd 74 o Sionis. Yr* Hilda *cyn iddi suddo.*

Yr Hilda *ar y creigiau wedi'r trychineb.*

Chwilio am gyrff wedi'r trychineb.

Argraff arlunydd o'r trychineb.

Chwech a achubwyd o'r trychineb, pum Sioni – Jean Louis Mouster, Olivier Caroff, Paul Penn, Jean-Louis Rozec, Tanguy Laot ac un llongwr – James Grinter.

Y gofeb yn Rosko i goffáu'r rhai a gollwyd pan suddodd yr Hilda.

François Mazeas (canol) gyda chwsmeriaid yn Bradford. Mazeas achubodd fasnach y Sionis wedi'r rhyfel pan ddeddfodd Llywodraeth Prydain na fedrai cwmni – neu berson – fewnforio a mân-werthu llysiau i Brydain. Gwnaed eithriad o'r Sionis, diolch i ddycnwch a phenderfyniad Mazeas.

Cardiganshire

A 37660

IMMIGRATION OFFICER
(15)
EMBARKED
1 DEC 1952
SOUTHAMPTON

Aliens Order, 1920.

CERTIFICATE OF REGISTRATION

You must produce this certificate if required to do so by any Police Officer, Immigration Officer, or member of His Majesty's forces acting in the course of his duty.

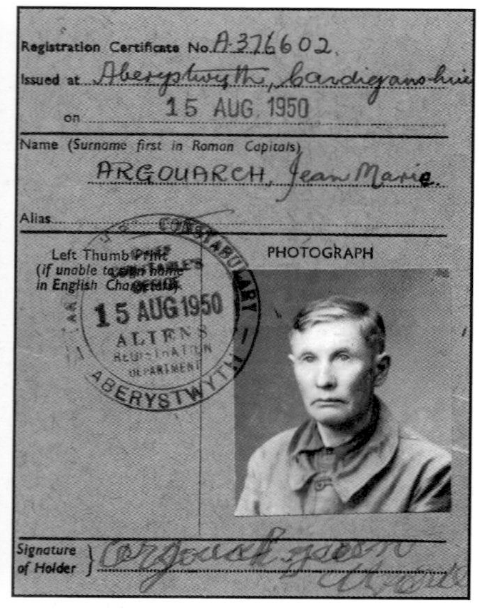

Registration Certificate No. A 376602

Issued at Aberystwyth, Cardiganshire

on 15 AUG 1950

Name (Surname first in Roman Capitals)

ARGOUARCH, Jean Marie

Alias

Left Thumb Print (if unable to sign name in English Characters)

PHOTOGRAPH

15 AUG 1950
ALIENS
REGISTRATION
DEPARTMENT
ABERYSTWYTH

Signature of Holder

Tystysgrif Cofrestu 'Jimmy Bach' – Jean-Marie Argouarc'h – fyddai'n mynd i Gastell Newydd Emlyn.

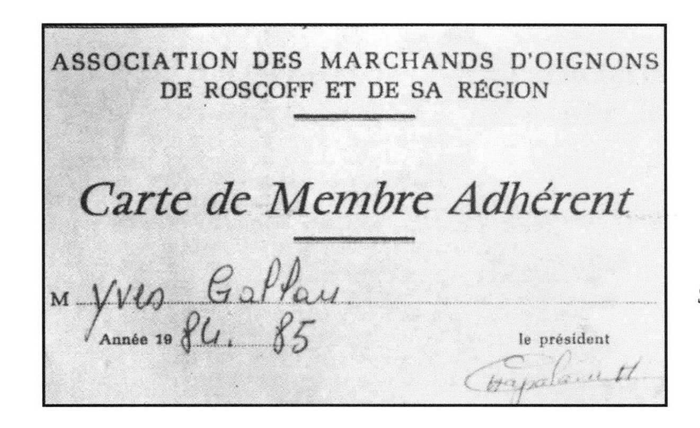
ASSOCIATION DES MARCHANDS D'OIGNONS
DE ROSCOFF ET DE SA RÉGION

Carte de Membre Adhérent

M Yves Gallou

Année 19 84. 85

le président

Cerdyn Aelodaeth Cymdeithas y Sionis. Sefydlwyd y Gymdeithas wedi'r Ail Ryfel Byd ac yr oedd aelodaeth ohoni'n orfodol.

' 'Dan ni drwoddd!' Cartŵn Gren yn y South Wales Echo *ar 12fed Rhagfyr, 1990 pan gyfarfu dau ben Twnnel y Sianel. Y Sioni Winwns yw'r llun parod sydd gennym o'r Ffrancwyr o hyd.*

Os yw masnach y Sionis ar drai, mae delwedd a grewyd dros ganrif a hanner yn aros! 'Bwthyn Picalili' gan Arthur Rackham – arlunydd a ddyluniodd nifer o straeon gwerin yn gweld ei gyfle i gynnwys Sioni Winwns yn y llun hwn.

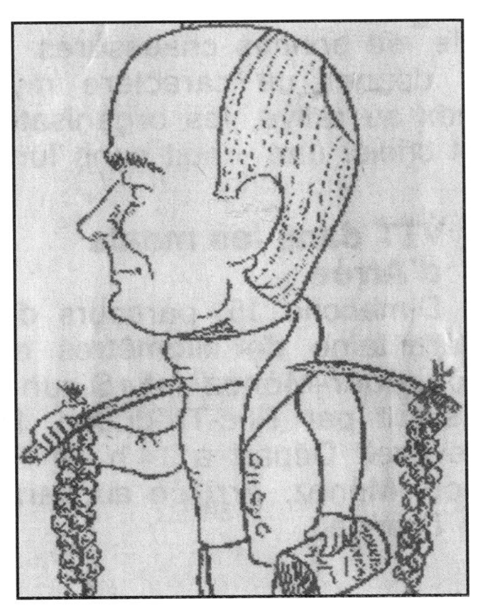

Cartŵn o'r awdur yn Ouest France, *15 Mai, 1994*

Llun o'r awdur mewn dillad Sioni yn y Western Mail, *26 Medi, 1998.*

Map o daflen ymwelwyr yn ymhyfrydu yn etifeddiaeth y tyfu a'r gwerthu winwns ar benrhyn Roscoff. Dim ond yn ddiweddar y dechreuwyd cydnabod hanes y fasnach hon yn y ardal.

Mae'r Sionis dal yn fyw! Dathlu Diwrnod y Llyfr yng Nghymru yn 2002 a phlant ysgol yn gwisgo dillad traddodiadol y Sioni Winwns wrth ymarfer darllen Ffrangeg. (Llun: Western Mail*, 8 Mawrth, 2002).*

Dyddiau o hel atgofion – Claude Tanguy (fyddai'n mynd i Leith), Olivier Creignou (Aberdeen), Olivier Olivier (Hwlffordd), Jean-Marie Roignant (Caernarfon, Guernsey, Perth), Madeleine Le Guerch (Yr Asiant) a Sebastien Prigent (Llanelli) ar hen gei Rosko. Yr awdur y tu ôl iddyn nhw.

Llyfrau i'w coffáu. Lawnsio Paotred an ognon *a'r Tad Medar yn llofnodi copïau o'i gyfrol yn y Llydaweg.*

Michel Olivier yn 1989 yn edrych ar gyfrol flaenorol yr awdur,
Goodbye Johnny Onions.

Cyfrol Skol Vreizh i ysgolion,
Johnnies du Pays de Roscoff.

Dechrau swyddogol i Arddangosfa Deithiol Sioni Winwns yn Amgueddfa Pontypridd yn 1994 – y ddirprwyaeth o Rosko (o'r chwith): Josette Gillon, René Bothuan, Patrica Chapalain, Madeleine Le Guerch a'r newyddiadurwr Remy Sanquer. Yr awdur yn y cefndir.

Tu mewn i'r Amgueddfa yn Rosko. Sebastien Prigent, Marie-Josie a Therèse gyda llun o'r hen fam Marie Le Goff yn y cefndir.

Yr awdur yn paratoi Arddangosfa Sioni Winwns yn Amgueddfa Pontypridd yn 1994.

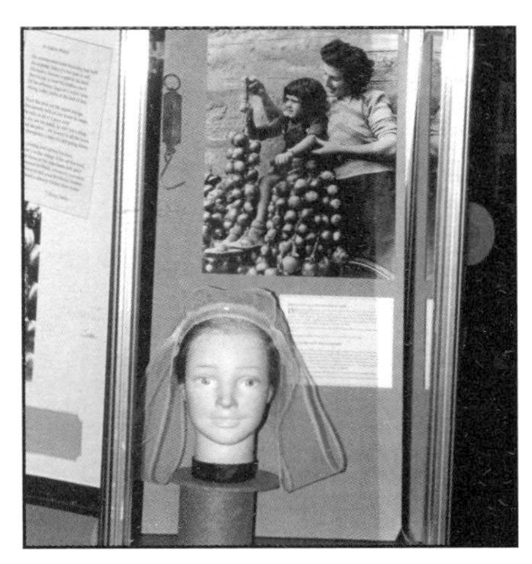

Rhan o'r arddangosfa.

Gorymdaith i agoriad swyddogol La Maison des Johnnies – *Amgueddfa'r Sionis – yn Rosko yn 1995. François Keriven (agosaf at y camera) gyda'r winwns ar y pastwn; André Quéménér gyda'r beic. Y tu ôl iddyn nhw, yn y beret, mae Jean Le Roux oedd yn parhau i werthu yn ardal Highbury yn Llundain, a'r nesaf ato yn y cap, Guillaume Seité, oedd yn gwerthu winwns ym Mryste ac yntau ymhell dros ei bedwar ugain. Yn y cefndir mae Janet Davies, Maer Cyngor Taf-Elai ar y pryd, sy'n aelod Plaid Cymru o'r Cynulliad erbyn hyn.*

Hen borthladd Rosko, o'r lle gynt yr hwyliai'r llongau llawn winwns, yn awr yn llawn cychod pleser a chychod pysgota.

Heddiw ac yfory – Brittany Ferries *yn cludo llysiau a thwristiaid drwy borthladd newydd Rosko.*

Burns, Mari Stuart, tîm pêl-droed Celtic – 'fyddwn i byth yn colli gêm gartref.' Dywedodd iddo fod ym Mharc Hampden tua 1948 yn gwylio'r Alban yn chwarae Hwngari. Colli fu hanes yr Alban a mynnai sôn am athrylith Puskas yn y gêm honno. 'Fe sgoriodd yn y gêm honno; rwy'n siŵr na welodd y golwr gip o'r bêl. Roeddwn i'n gweiddi fel cythrel dros yr Alban ond fedrwn i ond edmygu athrylith Puskas. Sgotyn ydw i, neu o leia Sgotyn own i pan own i yn Glasgow. Cofia, dyw pobol yr Alban i gyd ddim cystal â'i gilydd. Cymra di bobol Greenock, fe gymre'r diawled hynny y siwgwr o dy de di.'

Fel pob Sioni y bûm yn siarad ag e erioed roedd Peta-Claude yn hoff o'r ddiod gadarn. 'Fyddwn i byth yn gwerthu winwns trannoeth i noson Burns – bydde gen i ormod o ben tost. *Youngers' Strong Ale* fyddwn i'n yfed fel arfer a chwisgi ar achlysuron arbennig fel noson Burns a Hogmanay. Roeddwn i'n hoffi diferyn bach o *Johnny Walker* ond fedrwn i ddim diodde'r arogl oedd yn dod o'u distyllfa nhw. Rwy'n cofio ceisio gwerthu winwns tu allan i'w gatiau nhw a gorfod symud oddi yno. Roedd yr arogl yn ofnadwy.' Rhoddodd ddau wydr ar y bwrdd a'u llenwi â gwin coch. *'First today,'* meddai. 'Fel 'na bydden nhw'n ddweud yn yr Alban. *First today, never the last, always the first. Iec'hed mad.'*

Soniais wrtho fy mod yn lletya yn Kerlouan. 'Kerlouan!' meddai. 'Dyna lle maen nhw'n tyfu'r garlleg gore'n y byd. Fe fyddwn i'n gwerthu tair tunnell ohono bob blwyddyn rhwng y *Glen Eagles* a'r *Central Hotel* yn Glasgow. Roedd cogyddion Ffrengig yn y ddau le a bydde croeso i mi bob amser, a brecwast os mynnwn i. Byddwn i'n gwerthu lot o winwns iddyn nhw, hefyd, pedair sachaid (56 pwys) bob wythnos i'r *Central Hotel*, Glasgow, ar ben hynny werthwn i i'r *Glen Eagles* a'r *Grand Hotel*, St Andrews.'

Flynyddoedd wedi'r sgwrs honno roeddwn yn cael *aperitif* bach tu allan i'r *Chez Janie* yn Rosko cyn cinio Sul. Roedd hi'n ddiwrnod braf o Fedi ac wrth y bwrdd nesa atom roedd Albanwr a'i wraig, a'r gŵr yn cael trafferth yn archebu *crème de menthe* i'w wraig. *'Un verre de vert,'* meddai ac yn y diwedd fe ddeallodd y ferch oedd yn gweini. I dynnu sgwrs, dywedais wrtho wedyn fy mod yn meddwl y buasai'n archebu *'e'alf 'n' e'alf'* gan geisio fy ngore i ddynwared acen Glasgow. Peint o gwrw gyda chwisgi dwbwl i ddilyn yw *'e'alf 'n' e'alf'*, rhag ofn na wyddoch chi. Chwarddodd y gŵr a dyma ddechrau sgwrsio.

Doedd dim taw arno. 'Wyddoch chi,' meddai ymhen ychydig. 'Rydw i wedi bod yn yr amgueddfa fach fendigedig yma, mae hi draw fan'na – rhaid i chi fynd iddi. Mae am y Sioni Winwns, wyddoch chi rywbeth amdanyn nhw? (Sylwodd fod gwên ar fy wyneb, a rywsut roedd wedi cam-ddehongli'r wên.) . . . Na, wir i chi, mae'n ardderchog ac mae llun o hen ffrind i mi ynddi, sawl llun ohono fe a dweud y gwir. Peta-Claude oedd ei enw fe a bydde fe'n gwerthu lot o winwns i fi pan o'n i'n *chef* yn Glasgow . . . '

Pan lwyddais i atal llif ei huodledd dywedais wrtho fy mod innau'n adnabod Peta-Claude ac i mi gyfrannu rhan fach tuag at sefydlu'r 'amgueddfa ardderchog'. Roedd yn amlwg bod croeso i'r Sioni bach yng ngheginau gwestai a thai bwyta Glasgow.

Cofiais am sylwadau Peta-Claude am gogyddion Glasgow. 'Roedd yr Eidalwyr yn brynwyr rhagorol. A'r cogyddion Ffrengig, er nad winwnsyn coch Rosko sydd ore ganddyn nhw – mae'n well ganddyn nhw y winwns melyn a dyfir yn ardal Sant Brieg (Saint-Brieuc), Langeog a Hafignag ar Mor. Ond, dyw'r rheiny ddim yn cadw cystal. Rwy'n cofio'r Gorbals yn llawn Iddewon – bargeinwyr caled, ond medrwn i wneud yn iawn gyda nhw. Ond daeth nifer o bobl o Pakistan yno wedyn a doeddwn i ddim yn cael cystal hwyl ar werthu iddyn nhw.'

Daeth y rhyfel ar draws Peta-Claude ac yna ail-gychwynnodd yn 1947. 'Cyfanwerthu oeddem ni y flwyddyn gyntaf gan na chaem ni fanwerthu,' meddai. (Caf sôn am hyn yn nes ymlaen yn y llyfr.) 'Daethom â 55 tunnell drosodd i Southampton. Y flwyddyn wedyn fe gawson ni ryddid i ail-ddechrau gwerthu yn ein dull traddodiadol, diolch i ymdrechion François Mazeas. Roedd e'n ddyn clyfar a phenderfynol. Bu'n frwydr hir a chaled i roi'n ôl i'r Sionis eu hawl i werthu winwns yn eu dull traddodiadol.'

O dro i dro fe gawn syndod o ganfod na wyddai rhai o bobl Rosko – pobl ddŵad o rannau eraill o Ffrainc – ddim am y Sionis. Un diwrnod roeddwn i'n sgwrsio gyda Peta-Claude wrth gaffi y *Chez Janie* pan ddaeth Ffrances drwsiadus tuag atom. Rhoddodd bregeth i'r hen Sioni am smocio cymaint. Doedd e byth heb stwmpyn bach brown, gweddill sigarét a rowliodd e ei hunan, y boer a'r nicotin wedi rhedeg yn un a throi'r papur gwyn yn frown. 'Diawl, fy mywyd i yw e a'm iechyd i, ac fe wna i'n gywir fel y mynna i ag e!' Siaradai'r Sioni heb unrhyw ddicter na chwerwedd. Dechreuodd y ddynes fusnesa pwy oeddwn i a sut o'n i'n adnabod Peta-Claude. Dywedais wrthi ei fod yn un o gymdeithas fawr ei pharch ym Mhrydain – y gwerthwyr winwns. Roedd yn amlwg na wyddai hi ddim byd amdanyn nhw. O dipyn i beth trodd y sgwrs at ddiddordebau llenyddol Peta-Claude, a phan fu raid i mi ffarwelio â nhw roedd y Sioni yn rhoi darlith iddi am farddoniaeth Robert Burns. 'Mae hi'n garedig iawn ac mae hi'n poeni amdana i,' meddai Peta-Claude yn Saesneg wrth i mi ymadael. Am y tro cyntaf dysgodd y ddynes ddosbarth canol, drwsiadus, fod yr hen ŵr musgrell, llwm a llwydaidd ei wedd y bu hi'n ei gyfarch yn ddyddiol ers blynyddoedd yn gymeriad lliwgar a llengar. A rhugl mewn tair iaith.

* * *

Ganed Jean Berthou yn 1897 a'r unig dro y cwrddais i ag e roedd newydd ddathlu ei ben-blwydd yn 81 oed ond roedd yn gadarn ar ei draed ac yn glir ei atgofion. Roedd gweithwyr yn adnewyddu hen fwthyn ar waelod ei ardd sylweddol ym mhentre Cleder, bwthyn oedd yn ffinio â'r brif-ffordd a bwthyn ag iddo furiau trwchus o gerrig afrosgo wedi eu gosod yn gelfydd wrth ei gilydd. Roedd yn gwneud y cyfan o'r gwaith yn yr ardd ei hunan, ac eithrio ei haredig ddechrau'r tymor. Byddai ei nai yn dod â cheffyl ac aradr i wneud hynny.

Dechreuodd Berthou werthu winwns yn yr Alban yn 1912 pan oedd yn bymtheg oed. Ddwy flynedd yn ddiweddarach roedd ar ei ffordd i Aberdeen pan dorrodd y Rhyfel Mawr. Cychwynnodd y Rhyfel yn nechrau mis Awst ac roedd y Sionis wedi gadael am yr Alban trannoeth i Bererindod Santes Barba, sef y trydydd ddydd Llun ym mis Gorffennaf. Yn y dyddiau hynny, a hwythau ar y môr, doedd dim modd cysylltu â nhw. Teithio ar *Les Jumelles*, llong hwyliau ac arni lwyth o winwns a nifer o werthwyr, oedd Berthou. Yn hwylio gyda hi roedd dwy long arall, *La Roscovite* a *L'Hermann*, y rheiny hefyd yn cludo llwythi tebyg. Y Conswl Ffrengig ar y cei yn Aberdeen roes y newydd iddyn nhw ei bod hi'n rhyfel. Rhoes orchymyn i bob un oedd mewn oed i ymladd ddychwelyd i Ffrainc ar unwaith. Golygai hynny'r Sionis a'r dynion oedd yn hwylio'r llongau.

Bu dadlau ffyrnig gyda'r conswl a chytunwyd i roi tridiau i'r dynion geisio gwerthu'r holl winwns. Wedyn byddai'n rhaid i bob un oedd mewn oed ymrestru droi am adre. Doedd dim rhaid i'r rhai oedd yn rhy ifanc neu'n rhy hen fynd yn syth, felly arhosodd y rheiny i geisio gwerthu'r winwns orau medren nhw. Eu gwerthu i siopau a marchnatwyr – doedd dim gobaith eu gwerthu o ddrws i ddrws. Ond roedd problem arall yn wynebu'r capteiniaid. Roedd amryw ohonyn nhw wedi colli aelodau o'u criw oedd hefyd wedi cael gorchymyn i fynd yn ôl i Ffrainc. Mynd ar y trên i Lundain a chroesi o Dover i Calais – dyna'r ffordd gyflymaf a'r ffordd yr oedd yn rhaid i'r dynion ei chymryd. Y capten yn y sefyllfa waethaf oedd Capten Koadou, capten *La Roscovite*, oedd ar ei ben ei hun oni bai am un prentis, llongwr cyffredin a swyddog. Roedd Coadou yn bendant na fyddai'n aros gyda'i long yn Aberdeen, hyd yn oed os oedd y Prydeinwyr yn mynnu y byddai'r rhyfel drosodd erbyn y Nadolig.

Aeth o gwmpas y Sionis i chwilio am wirfoddolwyr i'w helpu i hwylio'i long yn ôl i Rosko. Llwyddodd i gael pedwar i gytuno i hwylio gydag e: Jean-Françoise Danielou, 15 oed o Rosko; Jean-Françoise Corre, 16 oed o Rosko; Claude Creignou, hen raffwr 65 oed, hefyd o Rosko, a elwid yn *Glaoda ar sarjant* am iddo fod yn rhingyll yn y rhyfel rhwng Ffrainc a'r Almaen yn 1870; a Jean Berthou, 17 oed o Cleder.

Llwythwyd y llong â glo yn Kircaldy a bant â nhw ar eu ffordd ansicr am Rosko. Buont ar y môr am fis – nid oherwydd aneffeithiolrwydd y gwirfoddolwyr ond am nad oedd awel. 'Buom yn chwilio ym mhob cyfeiriad am wynt ond heb lawer o lwc,' meddai Jean Berthou. Mae'n bosib bod y capten yn poeni hefyd, y buasai yn dod ar draws llongau Almaenig ac aeth i drafferth i sicrhau na fyddai hynny'n digwydd. Ond ni chredai Berthou'r stori honno. Y broblem, meddai, oedd dim gwynt.

Roedd rhyddhad y criw yn gymaint â llawenydd y teuluoedd a'u ffrindiau pan gyrhaeddodd *La Roscovite* adre'n ddiogel. Ymhen ychydig, roedd Berthou'n ddigon hen i fod yn filwr, a dyna a fu hyd ddiwedd y rhyfel.

Yn 1924 roedd yn ôl yn yr Alban yn gwerthu winwns. Dangosodd lun ohono'i hun i mi yn gwerthu winwns gyda'r pastwn ar ei gefn a dynnwyd tua 1933. Wedi hynny defnyddiai'r beic, meddai.

'Roedd gen i fy nghwsmeriaid a fydden nhw byth yn prynu gan neb ond fi,' meddai. Soniodd am ei gylch-daith: Berwick-on-Tweed, Dunbar, Peebles, Galashiels, Selkirk, Melrose, Kelso. Gyda'i feic byddai'n ymweld â'r trefi hyn yn eu tro bob tair wythnos. Fel arfer byddai adref dros y Nadolig. Bryd hynny byddent yn dychwelyd ar y trên i Folkstone, oddi yno ar longau i Boulogne ac adre ar drên o Baris. 'Roedd honno'n ffordd gyflym i fynd adre,' meddai. 'Weithiau byddem yn dychwelyd ar y môr, gan hwylio o Southampton i Cherbourg ac unwaith neu ddwy rwy'n ein cofio ni'n hwylio'n uniongyrchol adre i Montroulez.'

Berwick oedd un o'i holl leoedd. Roedd y gwestai'n llawn cogyddion Ffrengig. 'Lle rhagorol am fusnes.' Yn y saithdegau byddai'n parhau i fynd drosodd ar wyliau i Brydain. Bu yn yr Alban yn 1976, ond i Gernyw yr âi ran fynychaf gan ei bod mor hawdd croesi o Rosko i Plymouth.

Cofiaf dristwch yr hen ŵr pan ddywedais fod yn rhaid i mi ffarwelio. Roedd y mwynhâd a gafodd o hel atgofion yn amlwg a mynnodd fy mod yn dod i'r tŷ am lymaid o chwisgi. Roedd ei dŷ fel amgueddfa. Bwrdd mawr yn llenwi'r gegin a math o fainc un darn o'i gwmpas. Roedd yn un o wyth o blant, saith o fechgyn a merch a hawdd y gellid eu dychmygu'n llithro o gwmpas y bwrdd i gyrraedd yr ochr draw. Roedd ganddo fuddai fychan hen ffasiwn gyda thwll yn un pen – buddai gnoc oedd yr enw arni yn sir Aberteifi. Yn hongian o'r to roedd teclyn i ddal cyllyll a ffyrc – neu, i fod yn fwy manwl, wyth llwy bren ac wyth fforc bren. Roedd ganddo hefyd gasgliad da o hen lyfrau – Ffrangeg a Llydaweg – a lluniau o blant o gwmpas 1900-1910 i gyd mewn gwisgoedd traddodiadol.

Rhai Sionis yn Lloegr

Un peth a'm trawodd droeon oedd acenion y Sionis, hynny yw pan fyddent yn siarad Cymraeg neu Saesneg. Roedd yn ddigon hawdd gwybod ymhle y buont yn gwerthu. Soniais eisoes am ŵr o'r enw Jean-Marie Prigent – Shamar Vihan – a dreuliodd flynyddoedd yn gwerthu ym Mlaenafon, ym mlaenau cymoedd Gwent. Roedd ganddo gefnder o'r un enw'n union, yn byw ar yr un ffordd ond ychydig yn nes i Kastell Paol. Roedd y ddau'n ddigon tebyg ar un olwg ond bod eu Saesneg a'u hosgo yn gwbl wahanol.

I Fryste yr âi'r ail Jean-Marie Prigent. Gŵr â rhyw barchusrwydd hamddenol, yn siarad Saesneg Seisnig. Yn 1920, yn 11 oed, yr aeth yno gyntaf. 'Am y ddau ddiwrnod cyntaf es allan gyda 'nhad,' meddai, 'ond wedi hynny roeddwn ar fy mhen fy hun. Rhoddodd ddarn o bapur yn fy mhoced â chyfeiriad y stordy arno rhag ofn i mi golli fy ffordd, a ffwrdd â mi. Fi oedd yr hynaf o saith o blant, felly roeddwn ar fy ffordd cyn gynted ag y deuthum i ryw lun o oed.' Ychydig flynyddoedd wedyn aeth ei dad i werthu winwns yn Glasgow ond parhaodd Jean-Marie Prigent i werthu winwns ym Mryste ac eithrio am dri thymor pan aeth i Gaerdydd. (Rhoddodd ei dad y gorau i werthu winwns yn 1935. Bu farw yn 1977 yn 96 oed.) 'Doeddwn i ddim yn hoffi cwrw Caerdydd,' meddai, 'a rwy'n cofio, hefyd, nad oedd y tafarnau ar agor ar y Sul.'

Tafarnau ar agor ar y Sul neu beidio, pan oedden nhw ym Mryste, byddai Prigent a'i gyd-weithwyr i gyd yn mynd i'r eglwys. 'Fe fyddem ni'n mynd i Eglwys y Santes Fair ar y cei a byddai pob un ohonom yn cael dwy geiniog gan y bòs i'w rhoi yn y casgliad – ond *un* geiniog fydden ni'n ei rhoi ar y plât ac fel rheol fe fyddem yn gwario'r llall ar hufen iâ neu becyn o sigaréts.'

Er mai am dri thymor yn unig y bu Prigent yn gwerthu yng Nghaerdydd, bu ei gysylltiad â'r ddinas yn hwy. Fe ddeuai'r winwns o Rosko i Gaerdydd ar long ac yna byddent yn trefnu i'w cludo o Gaerdydd i Fryste ar y trên. 'Yn y blynyddoedd rhwng y ddau Ryfel Byd rwy'n cofio adegau pan fyddai llong yn dod â winwns i Gaerdydd bob tair wythnos a byddai'n rhaid i ni fynd i Gaerdydd i gwrdd â'r llong a'i dadlwytho. Fy mam fyddai'n gwneud y trefniadau i anfon winwns drosodd o Lydaw. Roedd dipyn o gamp i ddyfalu'n union pryd y byddai'r llong yn cyrraedd Caerdydd. Rwy'n cofio bod ar y môr am wythnos un tro am nad oedd ond y nesa i ddim gwynt. Fe fu 'nhad ar y môr am fis un tro pan oedd yn mynd i Glasgow ac fe fyddai'n dioddef yn enbyd o salwch môr. Ond fel rheol, byddai 24 awr mewn gwynt go lew yn ddigon i'r llongau bach gwblhau'r daith.'

Roedd ei deithiau gwerthu'n faith y dyddiau hynny. Yn ogystal â Bryste arferai fynd o gwmpas Caerfaddon, Trowbridge a Weston-super-mare. 'Byddwn yn cychwyn am hanner awr wedi pump y bore gyda'r beic yn llwythog o winwns ac yn cerdded bob cam i Weston – 22 milltir o daith. A byddai'n rhaid gwerthu pob rhaff cyn dod 'nôl. Byddai'r bòs bob amser yn dweud "Peidiwch dod â dim un 'nôl, mae digon o winwns yn y stôr." Flynyddoedd wedyn fe fydden ni'n mynd â lori ac yn medru teithio 50 neu 60 milltir y dydd yn hawdd.'

Pan dorrodd y rhyfel bu'n gyfnod gofidus i'r Sionis. 'Roeddwn i ym Mryste ar y pryd ac roedd gennym saith neu wyth tunnell o winwns i'w gwerthu. Doedd dim i'w wneud ond gwerthu'r cwbl i farchnatwyr lleol a mynd adre ar long o Southampton i Cherbourg. Fe arhosodd rhai Sionis yn Lloegr ac ymuno â'r lluoedd arfog yno. Fe wn i am un dyn o Rosko na ddaeth yn ôl pan dorrodd y rhyfel a chlywodd ei deulu ddim gair o'i hanes nes iddo gerdded drwy'r drws bum mlynedd yn ddiweddarach. Roedd e wedi bod o gwmpas y byd. Chawn i ddim ymuno â'r lluoedd arfog fy hunan oherwydd damwain ge's i pan oeddwn i'n ugain oed.'

Treuliodd flynyddoedd y rhyfel yn gweithio ar ffermydd o gwmpas Rosko a chofiai am yr Americanwyr yn cyrraedd gan luchio pecynnau o sigaréts a darnau o siocled iddyn nhw. Gwerthodd un milwr Americanaidd y sgidiau oddi ar ei draed i Prigent. 'Roeddwn i wedi bod yn fy nghlocs ers dechrau'r rhyfel. Maen nhw'n iawn yn y gaeaf yn yr oerfel a'r gwlybaniaeth ond yn llawer rhy dwym yn yr haf.'

Dychwelodd Prigent i Fryste wedi'r rhyfel ond ni pharhaodd yn hir. Daeth drosodd am y tro olaf yn 1951. Y troeon wedi'r rhyfel arferai ddod ar long i Portsmouth a theithio oddi yno i Fryste mewn lori. 'Bydden ni'n defnyddio stôf breimys i goginio. Roedd pethau'n galed oherwydd y dogni bwyd. Roedd yn gyni'r pryd hynny a chig yn brin, er ein bod ni'n cael cwpons fel pawb arall.' Cafodd drafferth yn y tollau un tro wrth geisio mynd â nifer o becynnau o de 'nôl i Lydaw. Gan nad oedd ef a'r Sionis eraill yn yfed llawer o de roedd y pecynnau te heb eu defnyddio yn y stordy a chan fod ei wraig yn bur hoff o de, ceisiodd fynd â nhw adre i Lydaw. Ond doedd gwŷr y dollfa ddim am gredu ei stori. Roedden nhw'n mynnu bod Prigent wedi prynu'r te ar y farchnad ddu.

* * *

Roeddwn yn eistedd y tu allan i gapel Santes Barba ar brynhawn braf o Fedi yn 1978. O gofio, fûm i erioed yn yr adeilad, dim ond cael cipolwg drwy dwll y clo. Meddwl oeddwn i am rywbeth ddywedodd Jean-Marie Cueff wrthyf – fel y byddai e a'r Sionis eraill cyn ymadael am Brydain yn dod i roi arian yn y blwch casglu yn y capel er mwyn dychwelyd yn ddiogel. Eisteddai gŵr, a ymddangosai fel pe bai tua canol oed, ryw ddeg llath oddi wrthyf. 'Mae pob croeso i chi fynd i mewn i weld y lle,' meddai'r gŵr yn sydyn. Roeddwn ar fin dweud 'Diolch, ond ble ga' i allwedd?' pan sylweddolais mai cyfeirio at adeiladau'r *Société Langouste* islaw oedd e, ac nid y capel y tu cefn i mi. I fyny'r aber i'r dwyrain o'r lle safem, pwffiai llong hir, isel yn y dŵr, yn llwythog o dywod tua Montroulez. Yn yr hen harbwr roedd y môr ar drai pell a dim gobaith i un o'r cychod hwylio a led orweddai yn y llaid a'r tywod adael Rosko am y môr mawr. Hawdd deall pam oedd angen y lanfa ddofn y tu hwnt i'r capel bach gwyn.

Dechreuais sgwrsio gyda'r gŵr a eisteddai wrth fy ymyl. Fel y dywedais, ymddangosai fel gŵr canol oed. Darganfûm yn fuan ei fod yn 76 ac iddo fod yn Sioni Winwns y rhan fwyaf o'i oes. Cododd yn hamddenol a gafael yn y 'beic cacwn' wrth ei ymyl – un o'r beiciau hynny a fu mor gyffredin ar hyd a lled Ffrainc. Beic cadarn ag injan fach uwch yr olwyn flaen a honno'n troi yn erbyn yr olwyn. Syml iawn, ac o ystyried eu cyflymdra rhaid eu bod yn bur effeithiol er, mae'n rhaid fod y traul ar y teiar yn sylweddol.

Wrth gerdded ar draws yr hen gei cefais ddarn o hanes ei fywyd. Ei enw oedd François Gueguen. Dechreuodd werthu winwns yn yr Alban gyda'i dad yn 1913 – roedd yn 11 oed ar y pryd. 'Ar y cei yna, ar yr ochr agosa atom ni, o fan'na y byddem ni'n llwytho'r winwns,' meddai. 'Roedden ni ar drugaredd y gwynt a'r llanw y dyddiau hynny. Llongau o Landreger (Treguier) a Pempoul oedden nhw gan fwyaf a bydden nhw'n hwylio oddi yma yn llawn o winwns ac yn dychwelyd yn llawn glo.'

Cofiai am flynyddoedd y caledi mawr. Cafodd ei dad ei ladd yn y Rhyfel Mawr yn 1916. Aeth i werthu winwns ar ôl hynny i Kendall a Middlesborough gyda'i ewythr. 'Rwy'n cofio gweld y ceffylau'n cael eu harwain o byllau glo Durham yn 1926 – roedden nhw'n ddall fel gwahaddod. Byddwn i'n arfer cario ugain rheffyn o winwns *war ar vaz* ar y tro – dyna dros gan pwys. Diolch byth mai ysgafnhau oedden nhw fel yr âi'r dydd yn ei flaen.'

* * *

Soniais eisoes am François Keriven a fu'n werthwr – digon anfoddog ar y dechrau – yn Hull. Fel y byddai'n cael ei orfodi i fynd i werthu drwy fygwth cosfa iddo weithiau, drwy gynnig darn o siocled yn wobr iddo dro arall. Mae ei nai, François Keriven yw ei enw yntau, yn parhau i fynd i werthu winwns yn Leeds. Dyn byr, sionc, gyda llais cryf. Bu'r ddau yn cydweithio mewn nifer o drefi yng ngogledd Lloegr – Darlington, Hull, Leeds . . . Os oedd y Sionis a âi i Gymru neu'r Alban yn fawr eu clod i'w cyd-Geltiaid, yr oedd Keriven – y ddau ohonyn nhw – yr un mor uchel eu parch o bobl gogledd Lloegr. Mae'n amlwg fod gan yr ieuengaf o'r ddau, sy'n parhau i fynd ar ei ben ei hun, lawer o gyfeillion ymhlith y Saeson. 'Wedi diwrnod o werthu bydda i'n ymolch, siafio, tacluso fy hun, a mynd allan am beint gyda'm ffrindiau,' meddai.

Dangosodd ddogfen ddiddorol iawn i mi un tro, dogfen oedd yn profi i'w dad fod yn gwerthu winwns yn Southampton yn 1916 – yng nghanol y Rhyfel Mawr. Nid *passport* fel y rhai yr ydym yn gyfarwydd â nhw, ond trwydded o ryw fath oedd yn rhoi iddo'r hawl i ddod i Brydain. Ac roedd stamp Southampton arni yn brawf iddo fod yno yn 1916. Ni wn am unrhyw Sioni arall fu'n dod drosodd yn ystod y Rhyfel; yn wir, ni chlywais neb arall yn sôn am y peth. Nid oedd yn amhosib, wrth gwrs, gan mai yn Fflandrys – gogledd Ffrainc a Gwlad Belg – y bu'r brwydro. Rhaid bod croesi i werthu winwns yn antur ofnadwy yng nghanol y rhyfel – ond rhai mentrus fu'r Sionis erioed.

* * *

I barchusion Rosko, Saik Mevel oedd *doyen* y Sionis. Ymysg y Sionis eu hunain, ef oedd 'y cantor'. Yn ystod ei flynyddoedd yn gwerthu winwns yn Llundain arferai ychwanegu at ei incwm drwy ganu mewn *cabarets* yn y West End. Yn ôl a ddywedodd un hen Sioni braidd yn sychlyd wrthyf 'doedd e ddim yn gwerthu llawer o winwns ond roedd e'n gwneud yn iawn gyda'i ganu.'

Fe'i ganed yn 1899 a'r tro diwethaf i mi ei weld yn 1991 roedd yn codi'r canu yn y *Café Tŷ Pierre* i gael ei recordio ar gyfer y rhaglen *Shoni Winwns* a gynhyrchwyd gan Rhys Lewis ar gyfer S4C. Bu Saik yn ffynhonnell dda o ganeuon gwerin i gôr gwerin *Mouez Rosko* a chofiaf yn dda gyfarfod â'i ferch oedd hefyd yn meddu ar lais da ac yn aelod o'r côr hwnnw.

Flynyddoedd cyn hynny roeddwn yn eistedd yn ei dŷ – a enwyd ganddo yn *Summerfield* – yn gwrando arno'n canu cân y Sionis, *Good Onions, very cheap* – cân ddwyieithog Lydaweg a Saesneg, a *Bro Goz va Zadou* – anthem genedlaethol Llydaw sy'n gyfieithiad o 'Hen Wlad fy Nhadau'. 'Fe fydda i wrth fy modd yn gwylio Cymru ar y teledu yn chwarae rygbi, er mwyn i mi glywed y dorf yn canu'r gân ar ddechrau'r gêm, ac fe gaf innau ymuno â nhw nerth esgyrn fy mhen yn Llydaweg.'

Ond caneuon poblogaidd o'r operâu, fel *Your tiny hand is frozen* o *La Boheme*, nid caneuon gwerin ei fro, fyddai Saik yn eu canu yng nghlybiau nos Llundain. Tra oedd yno byddai hyd yn oed yn cael gwersi cerddorol preifat. 'Fe ddysgodd fy athro i mi ganu gyda fy mhen yn hytrach nag o'r galon,' meddai. Dywedodd ei ferch wrthyf fod Saik yn fardd hefyd, a byddai'n cyfansoddi geiriau Llydaweg i alawon o wledydd eraill i'w canu gan *Mouez Rosko*. Un tro ceisiodd ganu cân i mi y tybiai ei bod o Gymru. Roeddwn yn siŵr mai *Cartref* oedd hi, ond y tro hwnnw roedd cof Saik a'm llais innau cynddrwg â'i gilydd a bu raid rhoi'r gorau i'n hymdrech. Canfûm wedi hynny i rywun gyfieithu *Cartref* i'r Llydaweg dan y teitl *Va zi bihan*.

Yr oedd Saik, fel llawer o'r Sionis, yn ŵr diwylliedig. Yn ei gartref ymfalchïai mewn copi o ddarlun o bont Llundain o waith Bernard Buffet ac yr oedd yn falchach o ddarlun bywyd llonydd o waith Cecil Kennedy, wedi ei roi i Saik gan yr arlunydd ei hun. 'Ym mhob darlun o waith Kennedy mae buwch goch gota mewn rhyw gornel neu'i gilydd,' meddai Saik. 'Fe fûm i'n gwerthu winwns i Kennedy am flynyddoedd – roedd yn un o 'nghwsmeriaid gorau.'

Dechreuodd werthu winwns yn Grimsby gyda'i dad yn 1913. Roedd yn 14 oed. Y flwyddyn wedyn roedd ar fin croesi pan gyhoeddwyd ei bod yn rhyfel a chafodd ei atal mewn pryd. Ail-ddechreuodd werthu yn Croydon yn 1923 a rhwng y ddau ryfel, Llundain a chyrion y ddinas oedd ei farchnad. 'Yr adeg honno, roedd dros 150 o Sionis yn Llundain, Essex a Surrey yn unig,' meddai. Hyd yn oed ar ddechrau'r saithdegau, tybiai fod tua hanner cant o Sionis yn gwerthu yn ne-ddwyrain Lloegr. Wedi'r rhyfel, ymsefydlu tua Romford a Hornchurch wnaeth Saik Mevel a hyd ddiwedd ei oes, pobl Essex oedd yr anwylaf yn y byd yn ei olwg. Daeth drosodd am y tro olaf yn 1974.

Roedd yntau ym Mhrydain pan dorrodd yr Ail Ryfel Byd. 'Roeddwn i'n gwerthu winwns yn Leytonstone a bu'n rhaid i mi fynd adref yn syth. Ymunais â'r frigâd dân yn Paris ac yno y bûm i tan ddiwedd y rhyfel.'

* * *

Soniais eisoes am Jean Le Roux sy'n parhau i fynd i ardal Highbury yn Llundain. Mae Paol Caroff a'i wraig yn croesi i Poole yn achlysurol. Roedd mwy nag un cwmni yn Poole mor ddiweddar â'r saithdegau, cwmni Caroff a chwmni François Danielou. Rhoddodd Danielou y gorau iddi a mynd i weithio i *Brittany Ferries*.

Er bod Guillaume Seité dros ei bedwar ugain mae'r hen ŵr mwynaidd yn dal i fynd drosodd i Fryste yn awr ac yn y man i werthu ei winwns a garlleg. Daliodd ati er gwaetha un trychineb a ddigwyddodd yn ei hanes. Diflannodd ei gyd-weithiwr, Eugène Cabioc'h, ar ei ffordd yn ôl i'w ganolfan un noson ym mis Ionawr 1978. Roedd yn 68 oed. Yn ôl yr hyn a ddywedodd Seité wrthyf, y tebygrwydd oedd iddo syrthio i'r dŵr yn y dociau yn y niwl. Ni ddaethpwyd o hyd i'w gorff.

Trychinebau ac anawsterau

Bu'r Sionis yn ffodus o daro ar y farchnad Brydeinig ar adeg fanteisiol, ond dros y degawdau bu digwyddiadau a niweidiodd eu masnach yn fawr, ac yn y diwedd ei dirwyn i ben – neu bron iawn i ben. Tyfodd niferoedd y Sionis a chyfanswm y tunelli a fewnforiwyd ganddyn nhw i Brydain yn gyson o'r dechrau yn 1828 hyd at 1900. Yn fasnachol roedd popeth bron o'u plaid yn y dyddiau cynnar. Trychinebau ar y môr a effeithiodd ar y Sionis gyntaf, digwyddiadau a effeithiodd yn economaidd ar y gwerthwyr winwns ac ar eu teuluoedd.

Channel Queen

Y cyntaf o'r rhain oedd dryllio'r *Channel Queen* tua phump o'r gloch fore Mawrth, Chwefror 1, 1898, ger Guernsey. Stemar wedi ei hadeiladu yn Middlesborough yn 1895 ac a oedd yn eiddo i'r *Plymouth, Channel Islands and Brittany Co.* oedd y *Channel Queen*. Llong 385 tunnell, 177 troedfedd o hyd a 24 troedfedd o led a fyddai'n hwylio rhwng Plymouth a Sant Brieg (Saint-Brieuc).

Gadawodd y *Channel Queen* borthladd Plymouth mewn niwl tew tuag un-ar-ddeg o'r gloch y nos ar nos Lun, Ionawr 31. Yn ystod y nos gwaethygodd y niwl. Yn ôl yr hyn a ddwedodd un Sioni a achubwyd wrth ohebydd y papur *Matin* yn Guernsey, roedd cyfanswm o 48 o deithwyr ar y llong, 44 ohonynt yn werthwyr winwns ar eu ffordd adref o Falmouth ac Exeter. O blith y gweddill roedd tri teithiwr dosbarth cyntaf. Yn ôl y capten, gŵr o'r enw Collings, cyfanswm y teithwyr oedd deugain, ond fel y gwelir yn achos yr *Hilda*, ni fyddai'r awdurdodau'n sicr o'r union nifer oedd yn teithio ar eu llongau – heblaw am y teithwyr dosbarth cyntaf.

Roedd rhai o'r Sionis yn cysgu yn howld y llong ac eraill ar y bont. Yn sydyn stopiodd peiriannau'r llong ac yna trawodd graig a elwir yn Black Rock, ac adlamu'n ôl. Llifodd y dŵr i mewn i'r llong a suddodd yn gyflym. Bwriwyd y badau achub i'r dŵr ond suddodd y cyntaf ar unwaith a boddwyd saith o bobl. Cyrhaeddodd y bad achub arall y lan gyda naw o deithwyr arni. Gwelodd pysgotwyr lleol beth oedd yn digwydd ac aethant i helpu'r teithwyr eraill a'r criw ond roedd y môr yn arw a'r creigiau mor beryglus fel na fedrai'r pysgotwyr fynd yn ddigon agos at y rhai oedd yn y dŵr. Ceisiwyd taflu rhaffau a gwregysau achub iddynt a rhwygwyd un baban o freichiau ei fam.

Pan oedd y môr ar drai, roedd rhan o'r llong i'w gweld ond ar ben llanw nid oedd ond brig y mastiau uwch y dŵr. Rai dyddiau'n ddiweddarach dechreuwyd enwi'r rhai a gollwyd ac o dipyn i beth cafwyd darlun cliriach. Erbyn Chwefror 3 roedd yn amlwg i 24 farw yn y trychineb, deunaw ohonynt ag enwau Ffrengig neu Lydewig. Sionis oedd y rheiny. Ymhlith y Sionis a foddwyd yr oedd bachgen deg oed, un arall 13 oed, un 14 oed, un oedd yn 17 ac un arall oedd yn 19. Ar Chwefror 6 daeth y stemar *L'Aber* i gludo'r rhai a achubwyd i Sant Brieg.

Fel y gellid disgwyl roedd gofid mawr yn Rosko a Kastell Paol. Collwyd bywydau a chollwyd symiau ariannol yr oedd nifer o deuluoedd yn ddibynnol arnynt i gadw corff ac enaid ynghyd tan y flwyddyn wedyn. Yn y dyddiau hynny byddai'r Sionis, neu y meistri, yn dychwelyd i Lydaw gyda'r holl arian yn eu pocedi. Yn ogystal, nid oedd y teithwyr na'r arian oedd ganddyn nhw wedi eu hyswirio. Roedd y golled i deuluoedd y Sionis, ym mhob ystyr, yn enfawr. Nid oedd trychineb o'r fath yn rhoi hyder i ddynion i gydio neu barhau ym masnach y Sionis.

Suddodd llongau eraill: *Saint Joseph* (1902), *Le Chouan* (1905), *Water Lily* (1909), *Le Hermann* (1925) ond eiddo yn unig ac nid bywydau a gollwyd bryd hynny. Rhwng Gorffennaf 20 a Gorffennaf 30, 1908, aeth tair llong ar y creigiau rhwng Bloscon – lle y mae'r porthladd dwfn yn awr – ac Enez Vaz. Prawf fod hen borthladd Rosko ymysg y mwyaf peryglus ar arfordir Ffrainc. Yn fynych gorlwythwyd y llongau a'u gwneud yn anodd i'w llywio. Weithiau, hefyd, byddai dŵr hallt yn mynd i'r howld a'r winwns yn pydru o'r herwydd.

Trychineb yr Hilda

Ychydig cyn hanner nos, nos Sadwrn, Tachwedd 18, 1905 y bu'r trychineb mwyaf yn hanes y Sionis. Y noson honno suddodd yr *Hilda*, stemar 848 tunnell a oedd yn eiddo i'r *London and South Western Railway Company* ar ei ffordd i borthladd San Malo.

Boddwyd 125 o bobl, 74 yn werthwyr winwns, ac unwaith eto yn ogystal â cholli tadau, brodyr a phlant aeth symiau mawr o arian i waelod y môr.

Gadawodd y stemar Southampton am ddeg o'r gloch nos Wener, Tachwedd 17. Yn ôl cofrestr Lloyds, roedd 131 o deithwyr arni, 79 yn werthwyr winwns, 24 o deithwyr eraill a chriw o 28 dan gapteniaeth William Gregory. Bu'n daith ddiflas. Gohiriwyd codi angor oherwydd y niwl a bu raid bwrw angor eilwaith o'r herwydd ger Ynys Wyth. Cliriodd y niwl gyda'r wawr a hwyliodd y llong nes iddi, wedi hanner dydd, fynd i ganol storm, cawodydd eira a gwynt a môr stormus. Erbyn chwech o'r gloch roedd y stemar wedi cyrraedd y *Chenal de Petite Porte* ar y ffordd i mewn i borthladd San Malo. Unwaith eto cododd y storm a dechreuodd fwrw eira'n drwm. Yn y gobaith y byddai'r storm yn gostegu trodd y capten y llong allan i'r môr a'i hangori am bum neu chwech awr. Ychydig cyn hanner nos rhoddodd gynnig ar ddod i mewn i'r porthladd unwaith eto. Bryd hynny y bu'r trychineb. Trawodd y llong graig o'r enw *Pierres des Portes*. Drylliwyd y bad achub cyntaf cyn ei roi yn y dŵr, a chyn y gellid gwneud dim â'r cychod eraill roedd y llong wedi ei thorri yn ei hanner a'r starn, lle'r oedd mwyafrif y teithwyr, yn diflannu dan y dŵr.

Yr unig forwr a achubwyd oedd James Grinter ac ar Dachwedd 22, adroddodd ei stori wrth ohebydd y *Daily Mail* yn San Malo:

> Roedd yn storm ddychrynllyd pan aeth ysgytwad drwy'r llong ac wedyn sŵn crafu a chracio. Rwy'n tybio ei bod tua hanner nos. Munud neu ddwy ac roeddwn ar bont y llong. Medrwn weld, er gwaetha'r tywyllwch, ddannedd y creigiau. Gwaeddodd y capten ar i'r cychod gael eu rhoi yn y dŵr. Roedd y llong yn rowlio'n erchyll ac yn mynd fwyfwy ar y creigiau gyda phob osgo . . . helpodd y gwerthwyr winwns i roi'r gwregysau achub am y menywod . . . Synnais mor hunan-feddiannol oedd pawb. Fe'm lluchiwyd i ganol y rhaffau a dringais y mast mawr gyda'r mêt. Roedd tua ugain ohonom yn y rhaffau pan suddodd y llong. Daliodd y mêt ei afael tan tua chwech o'r gloch pan gafodd ei fwrw'n bendramwnwgl i'r dŵr. Pan dorrodd y wawr gwelais yr *Ada* yn nesáu.

Stemar oedd yr *Ada* yn eiddo i'r un cwmni â'r *Hilda*. Dylsai fod wedi hwylio o San Malo ar y nos Wener ond oherwydd y storm a rhag taro yn erbyn yr *Hilda* oedodd y capten tan y bore cyn hwylio. Am wyth o'r gloch y bore cychwynnodd yr *Ada* ar ei thaith ac ymhen ychydig gwelodd y capten fastiau llong ar y *Pierres des Portes* sydd ryw 800 llath o oleudy'r *Grand Jardin*. Gwyddai ar unwaith mai yr *Hilda* oedd y llong a gollyngodd y badau achub i'r dŵr.

'Mae'r cof am y noson yn hunllef yn fy meddwl,' meddai un o'r Sionis a achubwyd, Olivier Caroff o Rosko, wrth *Chronique* San Malo. 'Ychydig cyn y trychineb roeddwn yn cysgu ond fe'm deffrowyd gan yr oerfel. Codais. Roedd hi fel y fagddu . . . Cerddais at bont y llong. Gwelais y capten yn rhoi gorchymyn. 'Tywydd budur,' meddwn wrth ryw forwr. Rhaid ein bod yn agos i San Malo ond fedrwn i ddim gweld y goleudy.

'Ychydig wedyn, credais i mi weld mymryn o olau. Mae goleudy'r *Grand Jardin* yn wyrdd, gwyn a choch. Wedyn diflannodd popeth. Roeddwn yn ôl yn y tywyllwch. Chwibanodd seiren y llong yn ffyrnig a seiniwyd y gloch rybudd. Roeddwn ar droi i fynd yn ôl i'm gwely pan aeth ysgytwad ffyrnig drwy'r llong, a chefais fy mwrw ar wastad fy nghefn. Codais ond cefais fy hyrddio eto tua'r starn. Rhedais tua'r mast. Roedd y llong yn suddo. Dringais tua'r mast ac i fyny'r ysgolion.

'Gwelais ddynion yn rhedeg yn wyllt. Roedd dynion yn dringo yn fy ymyl. Prysurais innau i wneud yr un peth. Ucha i gyd, gorau i gyd. Sŵn cracio ofnadwy, sŵn fel taranau, a dyma ganol y llong yn suddo a diflannu. Clywais sgrechian oedd yn fferu'r gwaed.

'Roedd rhyw ugain ohonom wrth y mast. Bob hyn a hyn byddai un ohonom yn syrthio. Roedd yr oerfel yn cydio ynom. Am ba hyd y buom fel hyn? Wn i ddim. Pan dorrodd y wawr gwelais y mwg, rhyw dalp du; yr *Ada* oedd yno. Bywyd! . . . Dydw i ddim yn cofio mwy nes i mi ddeffro mewn gwely cynnes yn yr ysbyty. Y bore hwnnw diolchais 'mod i'n fyw.'

Pan gyrhaeddodd cychod achub yr *Ada*, pump yn unig a gafwyd yn fyw – pob un yn hongian wrth raffau'r *Hilda*. Sionis oedd pedwar ohonyn nhw – Olivier Caroff o Rosko, Paul-Marie Pern o Cleder, Tanguy Laot o Cleder, Louis Rozec o Plouzevede a'r morwr James Grinter. Cafwyd hyd i un arall, Louis Mouster o La Feuillée ar un o'r ynysoedd bychain. Roedd yn fferu gan oerfel a bu'n cerdded a cherdded mewn ymdrech i gadw'n gynnes. Gwelodd ei frawd-yng-nghyfraith yn colli gafael a diflannu i ferw'r tonnau.

Roedd gan y lleill a achubwyd storïau tebyg. Dringodd Pern y rhaffau gyda bachgen 14 oed o'r enw Calarnou o Cleder ar ei gefn. Bu'r bachgen farw o'r oerfel. Bu farw Velly, gŵr arall o Cleder, yn yr un modd.

Fel ag yn achos y *Channel Queen*, bu'n anodd darganfod faint yn union o Sionis oedd ar y llong. Yn ôl Cofrestr Lloyds roedd 131 o deithwyr ar y llong, 79 ohonyn nhw'n werthwyr winwns, 24 o deithwyr eraill a chriw o 28. Yr anhawster oedd fod y mwyafrif o'r Sionis yn teithio yn y trydydd dosbarth ac nid oedd rhestr o deithwyr y dosbarth hwnnw. Nid cyn i'r cyrff gael eu golchi i'r lan ar draeth Sant Kast y cafwyd amcan o faint y trychineb. Ar Dachwedd 21 cyhoeddwyd fod y môr wedi cludo 60 o gyrff i'r lan ar draeth Sant Kast, 15 yn Plevenou, 2 yn Sant Jacut a 5 yn San Malo. Ymhlith y cyrff a ddarganfuwyd ar draeth Sant Kast roedd corff y capten, William Gregory.

Ar Dachwedd 22 daeth y newydd o Sant Kast fod ar fwrdd yr *Hilda*, 'heblaw'r teithwyr dosbarth cyntaf ac ail ddosbarth a'r criw, 82 o fasnachwyr winwns, pob un o Finistère; mae 77 yn feirw, 44 ohonyn nhw o blwy Cleder.'

Yn Rosko, ni wyddai neb pa gwmnïau oedd ar y llong. Roedd llawer o Sionis wedi dweud yn eu llythyron y byddent yn ymadael naill ai ar y dydd Sadwrn neu'r dydd Sul. Roedd gofid enbyd yn Rosko ac roedd yr ansicrwydd yn gwaethygu pethau. Trefnwyd i gynrychiolwyr o Rosko fynd i San Malo i geisio darganfod pwy a foddwyd yn y trychineb. Aeth y stori ar led fod y Sionis yn cario llawer o arian yn eu pocedi a threfnodd yr awdurdodau i gadw gwyliadwriaeth ofalus rhag bod neb yn ysbeilio'r cyrff. Darganfuwyd nifer o Sionis a gariai rhwng 2,800 a 15,000 ffranc.

Adroddwyd hanesion brawychus am bobl yn chwilio am gyrff perthnasau. Daeth un fam o hyd i gyrff ei dau fab, y naill yn 13 a'r llall yn 17 oed. Bu farw mam arall o sioc pan welodd gorff ei mab 14 oed. Profiad enbyd dynes arall oedd dod o hyd i'w gŵr a'i dau frawd. Ar y dydd Llun wedi'r trychineb dechreuodd dau fachgen o Rosko gerdded yr holl ffordd i Sant Kast i geisio dod o hyd i gorff eu tad. Ni welsant ei gorff yno, felly aethant rhagddynt i San Malo gan gyrraedd am chwech o'r gloch nos Fercher. Yn eu clocs roedden nhw wedi cerdded 184 cilometr mewn 48 awr. Nid oedd ganddyn nhw'r arian i fynd ar drên, ond nid oedodd yr un ohonyn nhw funud cyn ymgymryd â'r daith boenus o geisio sicrhau claddedigaeth i'w tad.

Erbyn Tachwedd 22 roedd y cyrff a olchwyd i'r lan wedi eu henwi – pob un ond dau. Roedd ugain o wŷr yng nghwmni J.M. Calarnou o Cleder – 12 o Cleder, chwech o Plouescat a dau o Plougoulm. Nid arbedwyd yr un ohonyn nhw. Felly hefyd gwmni Paul Jaouen o Plouescat a oedd yn cynnwys 13 o ddynion – pump o Plouescat, pump o Cleder a thri nad oedd neb yn gwybod o ble'r oedden nhw'n dod. Boddwyd Louis Tanguy o Sibiril, ei feibion Guillaume 45 oed, Claude 18 oed a François 14 oed. O gwmni Louis Quivigier boddwyd 14 ac achubwyd dau. Eto, roedd y mwyafrif o Cleder. Roedd 17 yng nghwmni'r brodyr Pichon o Rosko – saith o Rosko, tri o Sibiril, tri o La Feuillée, dau o Kastell Paol, un o Plouenan ac un o Plougoulm. Boddwyd 14, achubwyd un a chanfuwyd wedyn fod dau heb gyrraedd y llong mewn pryd. Roedd un ohonyn nhw wedi penderfynu mynd am dro o gwmpas Southampton ac erbyn iddo gyrraedd y porthladd roedd y llong wedi hwylio. Am dridiau credai ei rieni ei fod wedi boddi. Roedd y llall wedi mynd i dafarn, meddwi'n gaib a chael ei daflu i garchar gan heddlu Southampton. Bu'n ddiolchgar iddyn nhw weddill ei oes.

Cleder gafodd yr ergyd galetaf. Roedd 44 o'r rhai a foddwyd o'r gymuned honno – dros hanner y nifer o fywydau a gollwyd. Yn y dyddiau hynny nid oedd yswiriant i'w gael ac roedd llawer iawn o deuluoedd y Sionis wedi colli enillion blwyddyn gyfan ac yn wynebu cyfnod o dlodi enbyd.

Dechreuwyd cronfa gan faer Southampton a'r un modd Siambr Fasnach Ffrainc yn Llundain. Trefnodd myfyrwyr yn Roazon (Rennes) gyngerdd a dechreuwyd cronfa gan y papur *Le Gaulois*. Casglwyd cronfa oedd oddeutu 13,055 ffranc.

Yn ôl rhifyn dydd Sadwrn, Tachwedd 25, 1905 o *La Résistance*, wythnosolyn Montroulez, roedd 58 o gwmnïau a chyfanswm o 1152 o Sionis ym Mhrydain y tymor hwnnw. Y mwyaf ohonyn nhw – yn ôl y papur – oedd cwmni Paul Grall gyda 41 o werthwyr, er na ddywed ble ym Mhrydain yr oedd canolfan y cwmni hwnnw.

Wedi trychineb mor ysgytwol nid oedd yn syndod y gwelwyd gostyngiad sylweddol yn nifer y Sionis a fentrodd i Brydain y tymor wedyn. Rhoddodd sawl pen-teulu y gorau iddi a byddai gwragedd y rhai a ddaliodd ati yn byw mewn arswyd nes clywed bod y Sionis wedi cyrraedd Prydain yn ddiogel a chyrraedd adref yn ddiogel ar ôl hynny.

Yn 1907 roedd y nifer wedi ail-godi i 1,200; 1,300 yn 1909. Os oedd yr hiraeth am anwyliaid a foddwyd yn parhau roedd tlodi ac angen yn gorfodi'r Sionis i fynd ar y daith flynyddol.

Ni ddaeth yr arfer o drosglwyddo arian o fanc Prydeinig yn gyffredin tan 1921. Yn wir, ni fanteisiodd y Sionis i gyd ar y cyfleuster hwn tan 1948. Y banc a ddefnyddiai'r Sionis yn ddieithriad oedd y *Banque de Bretagne* yn Kastell Paol. Yn ddiweddarach, yn 1960, daeth yn rheidrwydd ar y Sionis i ddefnyddio'r banc hwnnw pan oedd yr awdurdodau'n cadw llygad ar allforion Ffrainc.

Deddf Estroniaid 1905

Yn gynharach yn 1905 daeth y Sionis wyneb yn wyneb â phroblem arall – nid trychineb o faint yr *Hilda* ond trafferth, serch hynny. Hon oedd Deddf Estroniaid 1905 *(Aliens Act of 1905)*. Ni chaniateid i fwy nag ugain o Sionis lanio mewn porthladd Prydeinig nad oedd ganddo gyfleusterau llawn i ymdrin â mewnfudwyr. Er hynny fe geir cofnod i longau ollwng niferoedd mwy na hyn yn Abertawe ar Orffennaf 24, 1905 (23 o Sionis); bedwar diwrnod yn ddiweddarach cyrhaeddodd llong gyda 22 o Sionis ar ei bwrdd a thrannoeth, ar Orffennaf 29, caniatawyd i 34 lanio – pob un yn Abertawe.

Ar Orffennaf 27 cyrhaeddodd llong i Gasnewydd gyda 27 o Sionis ar ei bwrdd. Ym mhob achos caniatawyd iddyn nhw lanio. Y gwir oedd fod yr awdurdodau Ffrengig yn Brest yn poeni llawer mwy am y ddeddf arbennig hon na'r awdurdodau Prydeinig. Ceir hanesion am longau yn mynd at y lan mewn mannau anghysbell o arfordir Prydain – (onid oedd smyglo yng ngwaed morwyr

Rosko?) – gan gludo amryw o'r Sionis i'r lan, yna'r llong yn mynd rhagddi i'r porthladd agosa a chyfarfod y Sionis eraill yn ddirgel mewn rhywle cyfleus.

Anghyfleustra i'r Sionis oedd y ddeddf hon yn hytrach nag unrhyw rwystr mawr. Doedd dim yn eu rhwystro rhag glanio ar long mewn porthladd mawr, neu deithio ar drên i Calais, er enghraifft, a chroesi oddi yno i Dover a mynd rhagddynt wedyn i ble bynnag y byddent yn bwrw'u tymor.

Y Rhyfel Mawr

Er gwaetha trychineb yr *Hilda* roedd masnach y Sionis wedi ail-gydio yn bur sydyn ac roedd tua 1,000 yn dod drosodd bob tymor cyn 1914 – y flwyddyn y torrodd y Rhyfel Mawr. Tueddai niferoedd y Sionis i amryw yn ôl y cnwd. Gorau'r cnwd, mwya'r Sionis.

Torrodd y Rhyfel Mawr ar yr amser gwaetha posib i'r Sionis oedd wedi hwylio – ac wrth gwrs, wedi cyrraedd – i'r lleoedd mwyaf anghysbell. (Ymdriniais â'r digwyddiad hwn yn y cofnod o atgofion Jean Berthou yn y bennod flaenorol.)

Ni ddylid anghofio i 250,000 o wŷr ifanc Llydaw golli eu bywydau yn y rhyfel hwn – canran llawer uwch nag o unrhyw un o ranbarthau eraill Ffrainc. Effeithiodd hyn ar fro'r Sionis fel pob rhan arall o Lydaw. Ac, wrth gwrs, torrwyd y fasnach yn llwyr am bum mlynedd. Er gwaetha'r prawf hynod ddiddorol a gefais gan François Keriven (gweler y bennod flaenorol) i'w dad fod yn gwerthu winwns yn Southampton yn 1916, ni fedrai roi eglurhâd i mi dros y digwyddiad nac unrhyw wybodaeth am unrhyw Sioni arall a groesodd i Brydain yn yr un cyfnod.

Trafferthion y Tridegau

Ailgydiodd y Sionis yn frwd yn eu crefft a'u masnach wedi'r Rhyfel Mawr gan arwain at eu 'hoes aur' ddiwedd y dauddegau a dechrau'r tridegau. Erbyn hynny roedd 1,500 o ddynion – a rhai gwragedd yn eu plith – o Rosko a'r cyffiniau yn treulio'u gaeafau ym Mhrydain. Yn y cyfnod rhwng 1927 ac 1931 roedd yr ardal yn allforio rhwng 9,700 a 10,000 o dunelli o winwns bob tymor.

Yn 1929 dechreuodd Adran Llynges Fasnach Prydain

ddeddfu'n llymach ynglŷn â niferoedd y Sionis a ganiateid i ddod i Brydain ar long oedd yn cludo winwns. O hynny ymlaen ni chaniateid i fwy na dwsin o Sionis ddod ar y llong beth bynnag fo'i maint. Gweithredu deddf 1905 fymryn yn llymach, mewn gwirionedd.

Yna yn 1931 roedd Prydain mewn argyfwng ariannol. Sefydlwyd y *Buy British Movement* a oedd, fel yr awgryma'r enw, yn annog pobl i brynu bwydydd a nwyddau a gynhyrchwyd ym Mhrydain. Mewn sgyrsiau a gefais gyda hen Sionis roedd yn amlwg fod yr ymgyrch *Buy British* wedi effeithio rhywfaint arnynt, ond nid i'r un graddau ar bawb. Roedd di-brisio'r bunt yn fwy niweidiol i'r Sionis. Yr hyn a blesiai'r Sionis yn fwy na dim oedd punt gref yn erbyn y ffranc felly pan ddibrisiwyd y bunt yn ystod tymor 1931/2 roedd honno'n ergyd bellach iddynt.

Ymhen blwyddyn cafodd y Sionis ergyd arall. Pennwyd treth fewnforio o 10 y cant ar nwyddau tramor a gludwyd i mewn i Brydain. (Sicrhawyd trefniant mwy ffafriol i wledydd y Gymanwlad o dan Gytundeb Ottawa.) Effaith hyn oedd lleihau nifer y Sionis ym mhob cwmni, a bellach, yn hytrach na bod cwmni yn llogi llong yn gyfangwbl iddo'i hun, byddai un llong yn cludo winwns cynifer â 30 o gwmnïau bychain. Tra oedd 58 o gwmnïau yn 1905, erbyn 1934 roedd nifer y cwmnïau yn 93, er bod nifer y gwerthwyr wedi gostwng.

Oherwydd yr anawsterau hyn gostyngodd nifer y tunelli a fewnforiwyd o tua 10,000 yn 1931 i 3,245 tunnell yn 1932 ac ymhellach i 2,786 yn 1933. Cododd cyfanswm y tunelli a fewnforiwyd i tua 4,500 yn 1936. Roedd argoelion fod pethau'n gwella eto yn 1937 a'r gwerthwyr yn medru hawlio prisiau uwch, ond oherwydd prisiau isel 1936 roedd y ffermwyr wedi plannu llai o winwns a'r cwbl a allforiwyd i Brydain oedd 2,203 tunnell. Gellid bod wedi gwerthu llawer mwy, ond nid oedd y winwns ar gael yn Llydaw.

Daeth pla'r chwilen Colorado i rannau o'r cyfandir yn 1932. Er na ddaeth y chwilen ar gyfyl Llydaw – nac unrhyw le yn Ffrainc yn agos i Lydaw – gwaharddwyd gwerthu unrhyw lysiau Ffrengig, gan gynnwys winwns Sioni, ar ynysoedd Guernsey a Jersey. Dywedodd Shamar Roignant wrthyf iddo dreulio cyfnod yn Jersey ond ni fu'r berthynas rhwng y Sionis a thrigolion yr ynysoedd hyn cystal â'r hyn ydoedd ym Mhrydain. Bu ffrwgwd rhwng y Sionis a thrigolion Jersey yn 1899, er enghraifft. Bychan, er hynny, oedd nifer y cwmnïau a arferai fynd i Guernsey a Jersey.

Effeithiau'r Ail Ryfel Byd

Fel ag yn achos y Rhyfel Mawr, torrodd yr Ail Ryfel Byd yn llwyr ar fasnach y Sionis. Ond bu sgîl-effeithiau'r Ail Ryfel Byd yn waeth. Yn ystod yr Ail Ryfel Byd galwyd ar ffermwyr Prydain i gynyddu eu cynnyrch. Wedi'r rhyfel parhaodd y Llywodraeth gyda'i pholisi o annog ffermwyr i barhau gyda'r un raddfa o gynhyrchu bwydydd ac i gadw mewnforion cyn ised â phosib. Rhoddid i bob ffermwr ddwybunt am bob erw o dir ymylol y byddai'n ei haredig.

Yna, creodd y Weinyddiaeth Fwyd rwystr a fyddai'n cynyddu'n sylweddol brisiau llysiau a ffrwythau tramor a werthid ym Mhrydain. Ffordd o amddiffyn amaethwyr Prydain a dangos ychydig werthfawrogiad am eu cyfraniad ym mlynyddoedd du y rhyfel oedd hyn. Gwaharddwyd cwmnïau mewnforio rhag manwerthu eu cynnyrch ym Mhrydain. Byddai hyn yn creu 'dyn – neu ddynion – canol'. Gan y byddai'r 'dyn canol' am ei gyfran roedd yr ystryw hwn yn ffordd artiffisial o gynyddu prisiau llysiau a ffrwythau tramor a rhoi mantais i ffermwyr Prydain.

Roedd y gwaharddiad rhag mewnforio a manwerthu yn tanseilio traddodiad a holl arferion y Sionis. Nid yn unig yr oedd y Sionis yn mewnforio a manwerthu eu winwns – roedd llawer ohonyn nhw'n eu tyfu hefyd. Hynny yw, roedden nhw'n cynhyrchu, mewnforio ac yn gwerthu'r winwns yn uniongyrchol i'w cwsmeriaid. Roedd y gwaharddiad yn mynd i ddileu'n llwyr fywoliaeth a ffordd o fyw y Sionis.

Yn ôl y Llydawiaid, rhai caled, penstiff yw trigolion Bro Leon, y fro sy'n cyfateb i hanner ogleddol Pen ar Bed, ac mae pobl Rosko mor benderfynol a digyfaddawd â neb ym Mro Leon. Byddai angen pob mymryn o'r gwytnwch hwnnw yn y brwydrau i ddod. Dechreuodd yr ymgyrch yn syth. Y gŵr allweddol oedd François Mazeas, a aned yn 1911 ac a fu'n gwerthu winwns yn Bradford cyn y rhyfel. Cafodd ychydig mwy o addysg na'r mwyafrif o Sionis – medrai siarad a sgrifennu Saesneg yn burion – a phrofodd yn arweinydd mewn awr o angen.

Gwrthodwyd ei gais cyntaf i ail-ddechrau masnach y Sionis ddiwedd 1945, ond ni ddigalonnodd. Aeth i Baris ac am bythefnos bu'n curo drysau'r *Ministère de l'Agriculture*, y *Ministère des Finances et des Affaires Économiques*, a'r *Centre National du Commerce Extèrieur* (CNCE). Yn null mân swyddogion a biwrocratiaid ledled y byd, cafodd ei anfon o swyddfa i swyddfa, o lawr i lawr, o adran i adran. Doedd neb ym Mharis wedi clywed am y dynion o Rosko fu'n gwerthu winwns ym Mhrydain er 1828! Yn y diwedd cafodd glust yn y CNCE, yr adran oedd yn gyfrifol am gynnig gwasanaethau a chyngor i amaethwyr. Trefnwyd i Mazeas gyfarfod gynghorydd masnach Llysgennad Ffrainc yn Llundain. Yn 22 Hans Place, Llundain, cyfarfu Mazeas â'r *attaché* masnach, gŵr o'r enw Mareschal. Addawodd Mareschal bob cymorth iddo a dweud yr âi yn bersonnol i swyddfeydd y Gweinyddiaethau Prydeinig priodol i eiriol ar ran y Sionis. Bu cystal â'i air a phrofodd ei hun y cynorthwywr mwyaf teyrngar a chyndyn a gafodd y Sionis. Ac os nad oedd mân swyddogion gweinyddiaethau Paris wedi clywed am y Sionis, roedd pob Aelod Seneddol yn Llundain yn *adnabod* o leiaf un Sioni Winwns. Ffaith bwysig wrth i'r dadlau a'r lobïo barhau.

Yn ffodus i'r Sionis bu'r cynhaeaf winwns ym Mhrydain yn 1946 yn drychinebus a chaniatawyd, ar fyrder, i'r Sionis allforio hynny a fedrent i Brydain i ddiwallu'r angen. Daeth y caniatâd – neu'r cais, mewn gwirionedd – yn annisgwyl. Manteisiodd gwŷr Rosko ar y cyfle ac ynghanol mis Chwefror 1947 allforiwyd llwythi lawer o winwns i Brydain. Ni chawsant ryddid i werthu'r winwns yn eu ffordd draddodiadol – ond roedd y drws yn gil-agored.

Roedd Llywodraeth Prydain drwy'r Weinyddiaeth Fwyd wedi dechrau siarad â Sioni Winwns. Y peth cyntaf a fynnwyd gan y Weinyddiaeth Fwyd oedd fod y Sionis yn ffurfio cymdeithas. O ganlyniad sefydlwyd *Association des vendeurs d'oignons de Roscoff et de sa région* (Cymdeithas Gwerthwyr Winwns Rosko a'r Cylch). Roedd hwn yn gais rhesymol gan na ellid trafod gyda haid o unigolion annibynnol di-drefn. Codwyd tâl aelodaeth gan y gymdeithas a chyfrifoldeb *Ar Master* oedd talu drosto'i hun a thros bob un oedd yn gweithio iddo. Byddai gan bob gwerthwr wedyn gerdyn a gydnabyddid gan yr heddlu ac awdurdodau eraill ym Mhrydain. Byddai'r tâl hwn yn amrywio o flwyddyn i flwyddyn. Yn naturiol, llywydd cyntaf y gymdeithas oedd François Mazeas. Ar ôl gosod y gymdeithas ar seiliau a oedd yn bodloni'r Weinyddiaeth Fwyd, caniatawyd i'r Sionis ail-ddechrau eu masnach draddodiadol – ond o dan amodau. Dyma'r pwysicaf ohonynt:

1. Ni chaniateid mewnforio mwy na 2,500 tunnell o winwns i Brydain yn ystod y tymor gwerthu dilynol (1947-48);
2. Ni chaniateid trwyddedau gwerthu ond i'r Sionis hynny a fu'n ymhèl â'r fasnach cyn y rhyfel;
3. Ni chaniateid gwerthu winwns am fwy na grôt a dimai'r pwys a rhaid bod gan bob Sioni glorian (*eur stillen* yn iaith y Sionis) yn ei feddiant a fyddai'n unol â safonau'r swyddogion pwysau a mesur;
4. Roedd yn rhaid i'r winwns a werthid ym Mhrydain fod wedi eu cynaeafu yn Ffrainc(!) gan y gwerthwr neu ei gyflogwr. Ni chaniateid i'r un Sioni brynu winwns, neu unrhyw nwyddau eraill cyffelyb (garlleg neu *shallots*), er mwyn eu gwerthu ym Mhrydain.

Codwyd nifer o fân rwystrau eraill. Roedd rheolaeth lem ar yr adegau pryd y câi'r Sionis ddod â'u winwns i Brydain. Doedd yr amserau hyn, yn fynych, ddim yr amserau y byddai'r Sionis yn eu dymuno. Er hynny, roedd y Sionis mewn llawer gwell sefyllfa na thyfwyr winwns mewn rhanbarthau eraill o Ffrainc a gwledydd Ewropeaidd eraill. Gwnaed eithriad unigryw yn achos Sioni Winwns. Ym mis Rhagfyr 1948 roedd y fasnach winwns ledled Ffrainc mewn cyflwr trychinebus – doedd ganddyn nhw unlle i werthu eu cynnyrch. Yr unig le oedd yn medru gwerthu winwns ym Mhrydain oedd ardal Rosko a hynny oherwydd hen arfer oedd yn ymestyn yn ôl dros ganrif – a phenderfyniad dynion oedd am barhau'r traddodiad. Er hynny roedd y sefyllfa yn Rosko ymhell o fod yn ddelfrydol. Yn ben ar y cwbl, dibrisiwyd y bunt yn 1949.

Dyma'r cyfnod pan y daeth yn arfer i bob cwmni ddefnyddio banciau a throsglwyddo'u harian i'r *Banque de Bretagne* yn Kastell Paol. Yn sicr, arfer peryglus oedd cadw cymaint o arian sychion yn y storws yn ystod y tymor gwerthu – a phan fydden nhw'n dychwelyd, fel y gwelwyd yn achos yr *Hilda*.

Daliodd Mazeas i brocio i adfer hawliau'r Sionis i'r hyn oeddynt cyn y rhyfel. Yn 1950, un gwaharddiad oedd ar ôl. Ni chaniateid i'r Sionis allforio winwns o Rosko i Brydain rhwng Awst 15 a Thachwedd 15. Tyfwyr winwns Prydain oedd yn cael y cyfle cynta ar y farchnad. Roedd hyn yn golygu bod tyfwyr winwns Llydaw yn gorfod rhuthro i gynaeafu hynny fedrent o winwns yn wythnos gynta Awst – fan bellaf.

Wedi llawer o lythyru a dadlau a'r ddeuddyn diflino, Mazeas a Mareschal, ar flaen y frwydr, yn 1954 adferwyd y fasnach i'r hyn ydoedd cyn y rhyfel. Yr unig rwystr ar ôl oedd y toll a godwyd ar y Sionis wrth ddod â'r winwns drwy'r porthladdoedd. Ond doedd hwnnw ddim yn newydd. Roedd styfnigrwydd diarhebol gwŷr Rosko wedi ennill y frwydr – ond a oedd hi'n rhy hwyr?

Yn 1956 cafodd Mazeas ddamwain ddifrifol i'w goes a rhoddodd y gorau i werthu winwns. Er hynny, parhaodd yn Llywydd 'Cymdeithas y Sionis' tan 1958 ac ef oedd seren rhaglen ddogfen deledu o'r enw *Onion Johnny* gan Stephen Hearst o'r BBC a ddarlledwyd yn 1960 – clasur o ffilm a enillodd wobr mewn gŵyl ffilm yn Canada.

Nid oedd gan Lywodraeth Prydain wrthwynebiad i'r Sionis. Nid oedd cyfanswm y winwns a fewnforiwyd ganddynt yn berygl yn y byd i amaethyddiaeth Prydain. Yn hytrach, dioddefodd y Sionis effeithiau deddf a luniwyd i warchod buddiannau amaethyddol Prydain a chodi rhwystrau i fewnforion gwledydd fel Sbaen a'r Iseldiroedd. Roedd y gwledydd hyn yn gwerthu llawer mwy o winwns ym Mhrydain na'r Sionis. (Gweler y tabl yn yr atodiad.) Ond wrth lunio'r ddeddf ni chofiodd neb am ddulliau traddodiadol, gwreiddiol a lliwgar Sioni Winwns. Y wyrth yw iddyn nhw lwyddo mor ardderchog i fylchu mur gwarcheidiol biwrocratiaeth Prydain.

Ond a gollwyd y rhyfel? Roedd blynyddoedd 1939-45 a'r rhwystrau a godwyd gan Lywodraeth Prydain yn sgîl y rhyfel wedi creu deng mlynedd a mwy o ansicrwydd andwyol i fasnach y Sionis. Roedd eu nifer wedi gostwng i 250 yn 1948 ac i lawr i 75 erbyn 1949. Doedd dim prinder gwaith arall erbyn hyn – adeiladu ar ôl dinistr y rhyfel ac ati.

Yna bu cynnydd graddol yn y niferoedd. Yn 1955 roedd 352 o Sionis mewn 43 o ganolfannau ond o hynny ymlaen gostwng yn raddol wnaeth y rhifau. Erbyn 1970 roedd 144 o Sionis yn mynd i 80 o wahanol ganolfannau. Roedd yn amlwg fod o leiaf ugain yn dod drosodd ar eu pennau eu hunain erbyn hyn. Yn y saithdegau y rhoddodd llawer iawn o'r rhai y deuthum i i'w hadnabod y gorau iddi.

Hwyluswyd masnach y Sionis gan fynediad Prydain i'r Farchnad Gyffredin a sefydlu *Brittany Ferries* yn nechrau'r saithdegau. Fe gaen nhw delerau arbennig a phob cymorth gan y cwmni oedd wedi'i sefydlu gan y ffermwyr eu hunain. Cofiaf fel y byddai rhai ohonyn nhw'n mynd i swyddfeydd *Brittany Ferries* i ffônio'u ffrindiau ym Mhrydain i ddweud bod llwyth arall o winwns ar y ffordd. Fydden nhw ddim yn talu am y galwadau. Ond yn y chwedegau a'r saithdegau roedd y bunt yn werth llai na deg ffranc ac roedd hynny'n drychineb yng ngolwg y Sionis. Ganol y saithdegau roedd hi'n werth llai na saith ffranc.

Roedd y Sionis a oedd yn dal ati yn prysur heneiddio erbyn canol y chwedegau. Ni ddaeth dim gwaed ifanc newydd i'r busnes rhwng 1939 ac 1950. Bellach, roedd plant yn gorfod aros yn yr ysgol yn hwy. Fuasai'r gwasanaethau cymdeithasol byth yn caniatáu i blentyn 10 oed dreulio gaeaf mewn warws oer a llaith a mynd allan ym mhob tywydd i werthu winwns. Cofiaf yr hyn ddywedodd Jean-Marie Roignant wrthyf – 'Mae 16 yn llawer rhy hwyr i ddechrau hyfforddi Sioni Winwns.' Roedd yn rhaid iddyn nhw ddysgu iaith newydd ac fel y gwyddom yn dda, ieuenga i gyd, hawsa' i gyd yw hi i ddysgu iaith.

Roedd ffactorau pwysig eraill. Ni chaniateid i Sioni gyfrannu at ei bensiwn dros gyfnodau pan oedd yn gwerthu winwns ym Mhrydain. Roeddwn yn adnabod sawl Sioni y cwtogwyd ei bensiwn gan wladwriaeth Ffrainc oherwydd iddo dreulio hanner ei oes yng Nghaerdydd neu Gaeredin. Y gweithwyr cyffredin a ddioddefai fwyaf – y rhai a fyddai'n treulio'u gwanwyn a'u hafau yn weision ffermydd o gwmpas Rosko a Kastell Paol cyn mynd i werthu winwns ym Mhrydain yn yr hydref. Roedd gan y rhai oedd yn berchen fferm, neu ddim ond tyddyn, ffordd o osgoi'r broblem. 'Fe fedrwn i dalu – wedi'r cwbl, ni wyddai'r awdurdodau ble ar y ddaear oeddwn i,' meddai Guillaume Le Duff wrthyf ryw dro. 'Hyd y gwydden nhw, roeddwn i gartre yn gweithio.'

Wrth i'r cyfle am waith wella ar ôl y rhyfel daeth cyfleon newydd. Roedd gwaith i'w gael yn y ffatrïoedd siwgwr yng nghyffiniau Naoned (Nantes), os oedd rhaid gadael cartre. O leia roedd y ffatrïoedd hynny o fewn ffiniau Ffrainc – ffiniau Llydaw hyd yn oed. Nid oedd cyfleusterau yswiriant i Sionis agos cystal ag i'r gweithwyr oedd yn aros gartre yn Llydaw neu Ffrainc.

Ac wrth gwrs, roedd y gwaith yn galed a'r oriau'n faith a bywyd yn ddi-gysur mewn hen siopau a stordai llaith, y tywydd yn oerach na'r hyn ydyw yn Rosko – yn enwedig i'r rhai oedd yn mynd i'r Alban neu i ogledd Lloegr, a'r Sionis eu hunain yn heneiddio. Nid oedd fawr o obaith i Sioni Winwns weld canrif a mileniwm newydd.

Ond eu cofio'n gyson . . .

Beth bynnag am y rhagolygon ddiwedd y saithdegau, y mae Sioni Winwns yma o hyd. Mae Patrick Mevel a'i griw ifanc yn cyrraedd Caerdydd ddiwedd pob Awst. Hyd yn oed os mai myfyrwyr sydd am wella'u Saesneg yw llawer ohonyn nhw a bod yn rhaid i Patrick eu dysgu i raffu ac i *chiner* o'r newydd bob blwyddyn. Dod am flwyddyn ac yna rhoi'r gorau iddi yw'r drefn ymysg y criw sydd gan Patrick a thebyg fod y siop yn Grangetown, Caerdydd, yn fwy cysurus na honno oedd gan Shamar Cueff ac Olivier Bertevas yn Bute Street, slawer dydd. Ond maen nhw'n parhau i fynd â'r beiciau o gwmpas, hyd yn oed os nad oes tsiaen na theiars ar ambell un. Mae gwerth i hen draddodiad weithiau – beics, beret, hyd yn oed y siwmperi streipiog.

Hyd yn oed pan ystyriwn ffigurau heddiw – hynny y medraf eu cael – mae'r Sionis yn parhau i werthu cyfran dda o'r winwns a gynhyrchir yn ardal Rosko. Yn anffodus mae winwns Sioni yn uwch eu parch ym Mhrydain nag yn Ffrainc a heb Sioni i hybu gwerthiant y winwns unigryw, mae'r winwnsyn coch mewn perygl, fel ei werthwr, o ddiflannu am byth. Lleia o Sionis sydd yna, lleia o winwns a gynhyrchir. A lleia o winwns sydd i'w gwerthu, lleia'n y byd yw'r ysgogiad i Sioni.

Ond os mai anfynych y gwelwn ni Sioni y dyddiau hyn, mae'r

cof yn fyw amdano. Y dydd y cyfarfu cloddwyr y twnel sy'n cysylltu Dover â Calais gwelais ddau gartŵn papur newydd a ddangosai Sioni Winwns, gyda'i feic llwythog o winwns naill ai yn y twnel, neu'n dod allan ohono. Flwyddyn neu ddwy yn ôl ar HTV gwelwyd un o'u cyflwynwyr gyda beic a winwns o flaen y Tŵr Eiffel ym Mharis! Fel y gwyddon ni, 'dyw Sioni Winwns yn golygu dim i bobl Paris! Dros y blynyddoedd diwethaf gwelais sawl sgets ar deledu oedd yn dangos fod y ddelwedd a'r atgof yn fyw.

Mae busnes y winwns a'r beic yn ddirgelwch i'r mwyafrif mawr o Ffrancwyr. Fwy nag unwaith gofynnwyd y cwestiwn hwn i mi gan Ffrancwyr o dde'r wlad: 'Ni'n deall y malwod, y brogaod, y dorth hir, y gwin, ond pam ydych chi'n mynnu bod Ffrancwyr i gyd yn reidio beics a gwerthu winwns?' 'Wel,' atebwn innau, 'Ers talwm roedd cannoedd lawer o ddynion o dre fach o'r enw Rosko ym mhen draw Llydaw yn dod i Brydain i werthu winwns. A bydden nhw'n cario winwns ar eu beiciau . . . ' Yr ymateb yw pŵl o chwerthin, neu len o anghrediniaeth yn disgyn dros eu llygaid. Ni lwyddais erioed i ddarbwyllo'r un ohonyn nhw. Mae'r Sionis yn ddirgelwch i rai Llydawyr hyd yn oed.

Roedd fy mam yn credu bod Francis (François Kergoat), y Sioni o Lanbedr Pont Steffan a arferai alw arnon ni, yn medru Cymraeg am fod Llydaweg a Chymraeg bron yr un fath. Roedd llawer o rai eraill yn credu yr un fath â hi. Am ganrif a hanner a mwy fe gadwon nhw'r cysylltiad rhwng Cymru a Llydaw yn fyw mewn cyfnod pan nad oedd ond y mwyaf breintiedig yn medru fforddio croesi i'r chwaer wlad. Os oedd Carnhuanawc a Gwenynen Gwent a François-Alexis Rio a Kervarker (Villemarque) yn ail-gynnau cysylltiadau Brythonaidd ymysg y bonedd yn Eisteddfod Cymreigyddion y Fenni yn 1838, roedd Sioni Winwns wedi hau hadau cysylltiadau mwy gwerinol rhwng Cymru a Llydaw ddeng mlynedd cyn hynny.

Heddiw mae dros ddeg ar hugain o drefi yng Nghymru wedi efeillio â rhywle yn Llydaw ac fe ddylem gofio mai gweledigaeth un Sioni Winwns barodd mai rhwng Kastell Paol a Phenarth y bu'r efeillio cynta ohonyn nhw. Mae'r ddwy dref newydd ddathlu cwlwm sydd wedi para deng mlynedd ar hugain. Eugène Grall, meistr cwmni yng Nghaerdydd â'i stordy yn y dociau oedd yr ysbrydoliaeth y tu ôl i'r trefniant. Yn is-lysgenhadaeth Ffrainc yng Nghaerdydd y priododd e ac am flynyddoedd, bu'n llywydd Kastell Paol o'r pwyllgor efeillio.

Ychydig flynyddoedd yn ôl cefais innau weithio'n agos â'i ferch Patricia Chapalain, perchennog yr *Hotel Brittany* yn Rosko a dirprwy-faer y dref ar y pryd, i sefydlu *La Maison des Johnnies*, yr amgueddfa fach sy'n cofnodi hanes a bywyd y Sionis. Mae hithau'n ymfalchïo yn ei chysylltiadau â'r Sionis ac â Chymru.

Yn sgîl sefydlu'r amgueddfa fach dechreuwyd ymddiddori o ddifri yn hanes y Sionis. Mae'r tyfwyr winwns sy'n rhan o gymdeithas gydweithredol bwerus y SICA *(Société d'Initiative de Coopération Agricole)* wedi dechrau ymgyrch i annog arch-farchnadoedd ym Mhrydain i werthu winwns Sioni wedi eu plethu'n rhaffau fel y gwna Sioni. Yma, wedi'r cwbl, y mae eu marchnad.

Hwyrach na chleddir Sioni na'i winwns coch am gyfnod eto. Yn y blynyddoedd diwethaf bu'r bunt yn gryf gogyfer â'r ffranc – ac yn fwy fyth wrth ochr yr euro. Mae pethau o blaid y rheiny sy'n dal i ddod drosodd ar hyn o bryd felly pwy a ŵyr?

Roedd gan yr hen Sionis deimladau cynnes tuag at bobl Prydain. Pan fu farw Winston Churchill sgrifennodd y Sionis yn swyddogol at ei weddw. Dyma frawddeg o'r llythyr y gwelais gopi ohono yn fflat Claude Corre ers llawer dydd: '. . . *We owe him our gratitude for all he has done for France in the last war and we cannot forget that it is thanks to him that we are free people today and that we are able to come over to your country to bring you our products . . . Johnnies de Roscoff.*'

Soniais fel y cyfrannodd maer Southampton a phobl Llundain pan suddodd yr *Hilda*. Pan orlifodd Tafwys yn 1953 cyfrannodd y Sionis i Gronfa Maer Llundain. Yr un modd cyfrannodd y Sionis i Gronfa Aber-fan pan lithrodd y domen lo a chladdu Ysgol Pantglas yn nhrychineb erchyll 1966.

Mae Sioni bron diflannu o'r tir ond erys yr atgofion am gymeriad siriol, gwerinol a gweithgar fu am ganrif a hanner yn rhan o fywyd llawer iawn o bobl Cymru. Cymeriad ddaeth â'i hwyl ac asbri mewn cyfnodau digon anodd a llwydaidd.

Atodiad

Hyd yn oed pan oedd gwerthiant y Sionis yn ei anterth, canran fechan o'r winwns a ddefnyddid ym Mhrydain a ddeuai oddi wrth y Sionis. Y mwyaf a werthwyd ar unrhyw adeg gan rwydwaith y Sionis oedd 10,000 tunnell mewn blwyddyn.

Dyma, er enghraifft, faint o winwns a fewnforiwyd o rai o'r gwledydd eraill i Brydain yn y chwedegau:

Sbaen	70,000 tunnell
Yr Iseldiroedd	50,000 tunnell
Yr Aifft	30,000 tunnell
Canada	18,000 tunnell
Chile	15,000 tunnell
Gwlad Pŵyl	15,000 tunnell
Yr Unol Daleithiau	6,000 tunnell
Hwngari	5,000 tunnell

Yn yr un degawd gwerthwyd ar gyfartaledd 3,500 tunnell o winwns gan y Sionis.

Nifer y Sionis

1860 –	200
1887 –	700
1902 –	1273
1905 –	1152
1907 –	1200
1909 –	1300
1913 –	1000
1921 –	1000
1930 –	1500
1932-1939 –	700-900
1948 –	250
1949 –	75
1955 –	352
1970 –	140
1985 –	33
2000 –	10

Tunelli o winwns Rosko a fewnforiwyd i Brydain

1860 – 1,000 tunnell
1908 – 7,906 tunnell
1913 – 10,000 tunnell
1921 – 2,572 tunnell
1927 – 9,710 tunnell
1931 – 9,710 tunnell
1932 – 3,245 tunnell
1933 – 2,786 tunnell
1936 – 4,500 tunnell
1937 – 2,203 tunnell
1947 – 2,500 tunnell
1963 – 4,500 tunnell
1966 – 3,000 tunnell

O 1966 ymlaen gostyngodd nifer y tunelli a fewnforiwyd o Rosko i Brydain yn sylweddol iawn.

Rhai o ganeuon y Sionis

Good onions, very cheap,
Prenit ognon mat
Digant ar Roskoad.
Good onions, very cheap,
Prenit ognon mat
Digant ar Breizad.

Johnniget an ognon
Zo deut euz abell-bro
Da werza d'ar Zaozon
Gwella vouen gonon 'zo
Da lakat er zouben
Pe gant eun tam rata
Pe gant eur fritaden
Er podig da gana.

Skuiz-maro vont bemdez
Da redet an hentchou
O sevel en tiez
Da skei war an doriou.
Hor c'hein a zo kignet
Dindan ar zam pounner
Hag hor chupen toullet
Zo mat d'ar pilhaouer.

Echuet hon deg leo
Dindad peb amzer fall
E klevomp en distro
Ar Mestr o fraonval.
Ha pa zaimp d'an daoulin
Ha da sonjal pedi
Pe d'an offern vintin
E kwezimp war hor fri,

Prenit 'vit ma c'hellem
Kas d'ar vugaligou
D'ar ger pa zistroimp
Kountellou, muzikou,
Prenit 'vit ma lako

Mylady Marijan
Thé Saoz ken a foeltro
Da virvi war an tan.

Cyfieithiad

> Good onions, very cheap,
> Prynwch winwns da
> Oddi wrth ŵr o Roscô;
> Good onions, very cheap,
> Prynwch winwns da
> Oddi wrth Lydawr.

Shoni Winwns
A ddaeth o'i wlad bell
I werthu i'r Saeson
Winwns nad oes eu gwell
I'w rhoi yn y cawl
Neu yn y gril os mynni
Neu yn y badell ffrio
Neu yn y cawg i ganu.

Blinedig fyddant yn ddyddiol
Yn troedio'r ffyrdd
A sefyll wrth y tai
I gnocio ar y drysau.
Ein cefnau sydd yn gignoeth
O dan y llwythau trwm
A'n cotiau'n dyllau
I'w rhoi i ddyn y carpiau.

Gorffen ein deng milltir
Ym mhob tywydd aflan
A chlywed pan ddychwelom
Y meistr yntau'n cwynfan.
A phan awn ar ein gliniau
A throi at ein gweddïau
Neu i'r Offeren fore
Gallem gysgu ar ein trwynau.
Prynwch fel y medraf

Gludo i'm plantos i
Tuag adref pan ddychwelaf
Deganau cyfrif, deganau cerdd.
Prynwch fel y bydd
Meiledi Meri-Jên
Yn rhuthro'r te o Loegr
I'w ferwi ar y tân.

* * *

Paotred Rosko

N'eus par, e Breiz Izel da baotred Rosko,
Brudet 'int 'vit o nerz dre-holl 'barz ar vro,
Diwallit da goueza dindan o fao,
Ro-sko, sko mibin, sko kallet, sko atao!
Ouspenn, labourerien dispar int ivez,
Da c'houlou-deiz 'maint er maez eus o gwele.
Gwelit o bemdez en aochou tro war dro,
Kerkent ma vo tre, betek ma vo lano,
O pelhiat bezin war ar reier garo,
Rosko, sko mibin, sko kalet, sko atao!

Kalz ijin o deus ivez paotred Rosko,
Eus Bro-C'hall a bez o deus graet an dro,
'Vit gwerza o zrevad dre ar marc'hajo,
Rosko, sko mibin, sko katel, sko atao!
Dre Baris, dre Vro-Zaoz o deus tremenet,
Mont a raint hebdale betek penn ar bed.
Ar Roskoad, gant e vouez skiltr a youc'ho;
'Patatez, brikoli, ougnon, articho!'
'Didabit, kemerit, an neb a garo'
Rosko, sko mibin, sko kalet, sko atao.

N'eus ket lorc'husoc'h eget paotred Rosko,
Gwalenn war o biz, c'houez vat war o bleo.
Voulouzenn ledan en dro d'ho zog kolo,
Rosko, sko mibin, sko kalet, sko atao.
Gant o dousig pa'z eont d'ar pardoniou,
'Kargont he godell a bep seurt madigou
Anaout a reont mad kement dans a zo

Ar ganaouenn ivez 'blij eston d'ezo
Evelse ar merc'hed 'zo pitilh ganto
Rosko, sko mibin, sko kalet, sko atao!

Cyfieithiad

Bechgyn Rosko

Nid oes hafal, yn Llydaw Isel, i fechgyn Rosko,
Enwog ŷnt am eu nerth drwy'r fro,
Gwyliwch rhag syrthio i'w dwylo
*Rosko, sko mibin, sko kalet, sko atao!
A gweithwyr diarbed ŷnt hwythau
Ar doriad gwawr maent oll o'u gwelyau
Fe'u gwelwch yn ddyddiol o gwmpas y glannau
Cyn gynted â'i bod yn drai, nes y daw'r llanw
Yn hel gwymon ar y creigiau garw.
*Rosko, sko mibin, sko kalet, sko atao!

Llawer ystryw sydd gan fechgyn Rosko,
Drwy Ffrainc i gyd y buont yn crwydro,
Yn y marchnadoedd eu cynnyrch yn hwtro,
*Rosko, sko mibin, sko kalet, sko atao!
Drwy Baris, drwy Loegr y gwnaethant dramwyo
I ben draw'r byd yr aent heb betruso
Gan weiddi'n groch, dyna wŷr Rosko;
'Tatw, brocoli, winwns, articho'
Dewiswch, cymerwch, y neb a garo'
*Rosko, sko mibin, sko kalet, sko atao.

Does neb sy' falchach na bechgyn Rosko
Modrwy ar eu bysedd, gwallt wedi'i seimio
Ruban felfed llydan o gylch ei het wellt o,
*Rosko, sko mibin, sko kalet, sko atao.
Gyda'r cariad yr ânt i'r pererindodau
A llenwi ei phoced â gwahanol loshinau;

Gwyddant yn dda am bob dawns a fo
A'r caneuon hefyd yn wir yn eu plesio,
Ac felly mae'r merched arnynt yn dotio,
*Rosko, sko mibin, sko kalet, sko atao.

* Mae bron yn amhosibl cyfieithu ergyd y llinell hon yn effeithiol oherwydd y defnydd mwys a wneir o'r enw Rosko a ddefnyddir yma i olygu 'rho hergwd'. Yn llythrennol, felly, mae'r llinell yn golygu, 'rho hergwd, hergwd chwimwth, hergwd galed, hergwd gyson.'

* * *

La Vie de Johnny

Le jour d'été qu'ils sont partis
Sur un batiment lesté à Rosko,
L'air heureux, on vit les Johnnies
Rire à travers leurs chansons
Et lancer aux gens un gai *kenavo*.
Pour cinq ou six mois très loin ils vont,
Sans trop de bile les attendrons
Et voilà la vie du pauvre cher Johnny.

Au pays saxon à peine arrivés
Et du bâtiment finie la décharge,
Ils s'en vont, un bâton grevé
D'oignons meurtrissont l'épaule,
Sans arrêt, sur les chemins en marge,
Trottant, fourbus, la chair morte,
Tombant parfois, faisant la chine aux portes . . .
Et voilà la vie du pauvre cher Johnny.

Et quand le paquet, par malheur,
Passé midi n'est pas vendu,
De leurs yeux coulent des pleurs,
Car les épaules sont moulues,
Que les oignons ne sont-ils des oranges!
On n'aurait pas tout un jour debattu,
Sans manger, cette marchandise étrange!
Et voilà la vie du pauvre cher Johnny!

Qu'importe le temps, allez, en route!
Que le vent rage ou bien qu'il pleuve!
On dormira tard quoi qu'il en coûte,
Et de bonne heure la couchette sera veuve.
Courage! c'est bientôt la France
Et la retour! En haut les coeurs!
La peine est finie. O douce créance!
Et voilà la vie du pauvre cher Johnny!

Cyfieithiad

Bywyd y Sioni

Y dydd o haf yr oeddynt yn ymadael
Ar long wedi ei llwytho yn Rosko,
Llawen eu hysbryd oedd y Sionis
Yn gweiddi a chwerthin eu caneuon,
Gan luchio i'w ffrindiau eu llon *'kenavo'*.
Ânt am bum neu chwe mis hir
Heb fawr o gysur i'w haros,
A dyna yw bywyd yr annwyl Sioni druan.

I wlad y Sais, nid cynt y cyrhaedda
A'r llong wedi cael ei dadlwytho
Ymaith â hwy, â phastwn llwythog
Y winwns yn cleisio'u hysgwyddau
Yn ddi-baid, hyd ymyl y ffyrdd,
Trotian, baglu, dideimlad gan ludded,
Syrthiant weithiau, pedlera o ddrws i ddrws . . .
Dyna yw bywyd yr annwyl Sioni druan.

A phan fo rheffynnau, gwaetha'r modd,
Heb eu gwerthu wedi hanner dydd
Rhed y dagrau o'u llygaid,
Am fod eu sgwyddau'n gleisiog.
O na bai'r winwns yn orenau
Fel na byddai raid ymlâdd drwy'r dydd
Heb fwyta, yn gwerthu'r nwyddau rhyfedd hyn!
Dyna yw bywyd yr annwyl Sioni druan.

Be ydy'r ots am y tywydd, ewch ar eich taith,
Boed i'r gwynt udo neu'r glaw dywallt!
I'r gwely'n hwyr, beth bynnag fo'r pris
A chynnar y bore y gwneir gweddw o'r gwely.
Codwn ein calon! cyn hir, Ffrainc,
A dychwelyd! Ac ysgafn fron!
Mae'r boen ar ben. Mor felys y wobr!
A dyna yw bywyd yr annwyl Shoni druan.

* * *

Y Sionis

(Recordiwyd hon ar Enez Vaz)

Dans notre métier, ce n'est pas tout rose
Si l'on a les poches pleines de *pognon*
Pour les récolter c'est une autre chose
Faut voir à l'oeuvre le marchand d'oignons
Courant de portes en portes
Chargés comme des *bourricots*
En attendant que quelqu'un sorte
Pour alléger notre fardeau
Mais c'est encore . . .
Siouaz eun all! chomet a biou.

Et tout le long des rues
s'en va le pauvre Johnnie,
l'air gai, mais l'âme ennuie,
qu'il pleuve, qu'il neige, jour et nuit.
Oui, c'est lui qui *chine*
jusgu'au dernier penny.
C'est le métier de nos Johnnies, à la *chine*
Si par bonheur la chance le favorise
Il est heureuse comme un poisson dans l'eau
à peine clos, c'est le *bistrot* qu'il vise
pour deguster une bière aussitot.
Redoublant alors de courage,
Il reprend encore son *boulot*
le voila plus gai qui voyage
portant comme un rien son fardeau

confiant la chique à tous ses concurrents
. . . , eman echu gantan.

Quand le dimanche o`u l'on se repose
Tant que l'on veut dans un lit bien chaud
Elle est bien gagneé, cette courte pause
apres 6 jours de trimand au galop
Et aussitôt qu'on nous prepare la soupe
Quelque chose d'appetissant,
on joue à 'coeur, figue et je coupe'
Tremen ar zul, eman echu gantan.

Cyfieithiad

Yn ein galwedigaeth, nid yw i gyd yn fêl / Os yw ein pocedi'n llawn o bres / Mater gwahanol iawn yw sut i'w gael / Rhaid gweld y gwerthwr winwns wrth ei waith. / Rhedeg o ddrws i ddrws / Yn llwythog fel asyn / Gan ddisgwyl rhywun i ddyfod allan / I ysgafnhau ein baich / Ond unwaith eto . . . / Ysywaeth un arall! Wedi ei golli.

Ac ar hyd y strydoedd / Yr â y Shoni, druan, / A'i wedd yn llon, ond ei enaid yn drwm / Boed law, boed eira, ddydd a nos. / Ie, yr hwn sy'n bargeinio / Hyd y geiniog olaf. / Dyna alwedigaeth ein Sioni, yn hwtro / Os drwy lwc y gwena ffawd arno / y mae'n llawen fel pysgodyn mewn dŵr. / Prin orffen, i'r dafarn y mae'n anelu i yfed glasiad o gwrw yn ddioed. / Wedi'i adnewyddu wedyn mewn nerth / mae'n cychwyn eto i'w waith / dyma fe yn fwy llawen yn teithio / yn cario ei faich fel petai'n ddim / yn ennill y blaen ar ei gystadleuwyr / . . . a dyna fe wedi gorffen.

Ond ar y Sul pryd y gorffwysir / ac aros faint a fynnir mewn gwely cynnes clyd / Mae'n ei llawn haeddu, y saib fer hon / wedi chwe diwrnod o lafur ar ras. / Ac ar unwaith paratoir i ni y cawl / rhywbeth i godi archwaeth, / chwarae ein gêm gardiau. / Felly y bwrir y Sul, a dyna fe wedi mynd.

Llyfryddiaeth

Bebb, W. Ambrose (1941), *Pererindodau* (Penodau 1 a 2), Y Clwb Llyfrau Cymreig

Griffiths, Gwyn (1987), *Goodbye Johnny Onions*, Dyllansow Truran, Redruth

Griffiths, Gwyn (1996), *Le Johnny, Breton en Grande-Bretagne, Revue Française de Civilisation Britannique*, Cyfrol VIII, Rhifyn 4, Paris

Griffiths, Gwyn (1981), *Y Shonis Olaf*, Gwasg Gomer, Llandysul

Guivarch, François (1979), *Les Johnnies de Roscoff*, Nature et Bretagne, Quimper

Habasque, Celine (1998), *The Johnnies From Their Origines To The Present Day*, Traethawd ymchwil Université de Bretagne Occidentale

Medar, Tad (1986), *Paotred an ognon*, Les Presses Bretonnes, Sant Brieg

Menez, Jean-Pierre (1986), *Johnnies du Pays de Roscoff hier et aujourd'hui*, Skol Vreizh, Montroulez

Moncus, Jean-Jacques (1973), *L'Émigration saisonnière des Johnnies de Roscoff des origines à nos jours*, Traethawd ymchwil Université de Bretagne Occidentale, Brest

Rozmor, Naig (1998), *Ar Johniged*, Emgleo Breiz, Brest. Drama

Rudel, Yves Marie (1945), *Johnny de Roscoff*, Librairie Celtique, Paris. Nofel

Saliou, Maryse (1992), *The Johnny Onion Men*, Traethawd ymchwil Université Catholique de l'Ouest, Angers

Yr Awdur

Mae Gwyn Griffiths yn awdur amryw gyfrolau am Lydaw. *Crwydro Llydaw* bron chwarter canrif yn ôl oedd y gyntaf. *Llydaw – ei llên a'i llwybrau* yw'r ddiweddaraf. Yn y cyfamser daeth cyfrol o ddramâu wedi'u cyfieithu o'r Llydaweg a nofel i blant.

Ond am ei waith ar y Sioni Winwns y mae fwyaf adnabyddus. Hyd yn oed yn Llydaw, fe'i ystyrir yr awdurdod arnynt. Cyhoeddwyd ei gyfrol gyntaf, *Y Shonis Olaf*, yn 1981. Wedyn daeth fersiwn Saesneg ohoni, *Goodbye Johnny Onions*, yn 1987. Er credu bryd hynny ei fod wedi dihysbyddu'r pwnc, ni chafodd lonydd. Yn sgîl cyhoeddi'r gyfrol Saesneg ail-gynheuwyd y diddordeb. Daeth ceisiadau am raglenni radio a theledu. Yna yn 1994 daeth cais i baratoi arddangosfa Sioni Winwns gan y Cyngor Amgueddfeydd yng Nghymru – arddangosfa a addaswyd ar gais Cyngor Tref Rosko i fod yn ganolbwynt Amgueddfa Sioni Winwns yn Rosko, prifddinas y Sionis.

Ar sail yr wybodaeth bellach ddaeth i law yn sgîl y prosiectau hynny roedd yn rheidrwydd arno lunio cyfrol arall.

Mae Gwyn Griffiths yn enedigol o ardal y Berth, ger Tregaron. Bu'n gweithio i'r Urdd, Y Cymro, BBC Cymru ac ar ei liwt ei hun. Bu'n byw ym Mhontypridd er 1969. Mae'n briod a chanddo bedwar o blant.

* * *

'Nid pob awdur a fedrai gyfeillachu â'r Shonis mor glòs ag y gwnaeth Gwyn Griffiths . . . mae'r gyfrol yn peri inni fod yn ddiolchgar iawn fod cyfathrebydd mor effeithiol yn llenor mor dda.' (Selyf Roberts ar *Y Shonis Olaf* yn *Llais Llyfrau*.)